18 北宋
西元960～1126年

[注音本]

全新 吳姐姐講歷史故事

吳涵碧◎著

目錄

【第399篇】活閻羅包青天 4
【第400篇】宋史中的包拯 14
【第401篇】司馬光和資治通鑑 24
【第402篇】司馬溫公的風範 34
【第403篇】章惇的嘴臉 44
【第404篇】大晏與小晏 54
【第405篇】黃庭堅創立江西詩派 62
【第406篇】邵雍與周敦頤 72
【第407篇】張載與變化氣質 82

【第408篇】程顥與程頤 92
【第409篇】文與可胸有成竹 102
【第410篇】白描大師李公麟 112
【第411篇】米芾拜石 122
【第412篇】米顛的潔癖 132
【第413篇】牧牛圖的仿冒品 142
【第414篇】周邦彥與李師師 152
【第415篇】水滸傳中的宋徽宗 162
【第416篇】元祐黨人碑 172
【第417篇】宋徽宗與花石綱 182
【第418篇】萬歲山落成 192
【第419篇】蔡京翻修延福宮 202
【第420篇】蔡京與蔡攸 210

【第399篇】

活閻羅包青天。

只要提起包青天，包拯，包大人，中國人都會肅然起敬，打心眼兒裡佩服包公鐵面無私。在『七俠五義』、『包公案』這種民間小說之中，以及一代又一代流傳的戲劇之中，包青天的故事家喻戶曉，人人皆知。

歷史上到底有沒有包拯這個人呢？有的，包拯確實是宋仁宗時代的名臣，稟性剛毅，不畏權貴，不過，正史中的包公沒有民間流傳的如此多采多姿，我們先大概的談一談包公案之中最有名的三齣戲：『烏盆記』、『狸貓換太子』、『鍘美案』。

何謂『烏盆記』？這齣戲在平劇之中一名奇冤報，又名定遠縣。

話說宋朝時候，有個打柴的老頭兒，名叫張別古，爲人俠義。有一天，他生了場病，沒有出去打柴，家裡頭一個錢也沒有，忽然想起，城南趙大，三年前欠他四百文，一直沒有還，於是他前往討債。

到了趙大門口，一看，哇，不一樣了。趙大的房舍煥然一新，附近的鄰居都改口喚他『趙大官人』。

趙大官人很快地把四百文拿了出來，張別古把錢揣入懷裡，順口問道：

『你那邊的小盆兒很多，給我一個如何？』

『好啊，你自己挑。』

張別古看來看去，選中一個小烏盆，夾在腋下，告別趙大夫婦。走著走著，忽然迎面一陣怪風，吹得張別古直打哆嗦，一個不小心，烏盆就掉在地上了。

『哎喲，閃了我的腰啦！』

張別古四下看看，半個人影都沒有，敢情是烏盆開口了，他嚇得寒毛直立，捧著烏盆，踉踉蹌蹌奔回家，把門緊緊關上。

『我死得好慘啊！』烏盆又悲悲切切地嗚咽著。

張別古嚇得靈魂出竅，用顫抖的聲音說：『你有何冤屈？』

烏盆道：『我叫劉世昌，蘇州人氏，幾年前上京販賣綢緞，回程在趙大店中住宿，他們夫婦倆見我行李沉重，有意謀財害命，就在米酒之中下了老鼠藥，然後把我剁為肉醬，雜以泥土，燒成烏盆，請您為我在包公面前伸冤。』

奇怪的是張別古帶著烏盆上了衙門，烏盆卻不肯開口，包公氣得把張別古趕了出來，一出了衙門，烏盆又在喊『伯伯』。

原來，縣衙門口有門神，小鬼不敢進去，張別古好人做到底，請包公提筆寫了一張通行證，拿到衙門口焚化，再取了一件衣服，把烏盆兒包好再入衙門。

這會兒烏盆開口了，把遇害經過源源本本說了出來，包公立刻命人把趙大夫妻提來，誰知趙大狡賴，怎樣也不肯招，包公一火，下令用夾棍狠狠使勁，趙大禁不起這一夾，嗚呼哀哉，一命歸天。

包公用刑過猛，被革了職，粗心大意丟了官，垂頭喪氣回京師，半途之中遇見四個山大王——王朝、馬漢、張龍、趙虎，這四人後來成爲包公的愛將。

後來，仁宗皇帝夢見包公，夢醒後，請人畫了一張像，四處訪查，找到了包公，對他說：『你既然能爲烏盆伸冤，也必然能鎮玉宸宮的怨鬼。』果然，包公把宮女寇珠的鬼魂招了出來，引出一段『狸貓換太子』的故事（見前面〈狸貓換太子的眞相〉篇）。

在包公案之中，還有一齣著名的『鍘美案』。

宋仁宗時，有士人陳世美，進京應試，掄爲狀元，劉太后見其儀表不凡，有意把公主嫁給他。

陳世美本有妻子秦香蓮，且有子女，爲求富貴，稟奏太后尚未娶妻，成爲駙馬爺。

秦香蓮在家鄉，久不得陳世美音訊，又因年年荒災，只得帶著子女上京尋夫。

陳世美非但不認糟糠，反而派了韓琪去殺掉秦香蓮。

秦香蓮母子跪地哀求，韓琪不忍下手，又無法向陳世美回報，進退兩難，忽然一腔義烈之心，應念而起，自刎而死。

秦香蓮遂往開封，向包青天求救。包拯下朝回來，偶遇秦香蓮，攔轎喊冤，包公把陳世美找來對質，陳世美仍然辯稱無妻，這時公主、太后聽到消息，急急跑來相救。

包公左右爲難，最後決定棄官殉法，摒了這頂烏紗帽不要，還是把陳世美送上虎頭鍘，任憑他是皇親國戚，包青天就是鐵面無私。

除此之外，包公還有許許多多不畏權勢，爲國盡忠的故事，他不但審人，而且善於審鬼，白日斷陽，夜間斷陰。在過去，許多觀衆看包公的戲，看到最後包公問案，常常會忍不住拍手叫好，興奮得不得了，可見得是非公道在人心。

固然，包公那套裝神弄鬼的辦案方式，不求證據而用刑求，在今天的社會是行不通的，但是包公的清廉、正直、無私，永遠是值得後代欽佩的，戲劇中的黑臉包公大家都相當熟悉，在宋史中眞正的包拯又是如何？

閱讀心得

【第400篇】宋史中的包拯。

前面講了一些戲劇小說裏的故事，包公是大家所熟知的歷史人物，連續劇——『包青天』相當轟動，在正史中的包公又是如何呢？

包公確有其人，名包拯，字希仁，盧州合肥人。在宋朝眞宗年間高中進士，除大理評事，被派往建昌縣任職，由於包拯父母皆年老，他不願意前往，請辭官職，於是，朝廷改派他前往和州負責賦稅之事。

包拯到了和州，可是，他的父母還是嫌和州路遠，捨不得離開家鄉半步。包拯無可奈何又再度辭官。

後來，過了幾年，包拯父母親都過世了，他在墳墓旁蓋了小房子，每日徘徊流連，依舊戀戀不捨，這時，鄉中父老紛紛前來相勸：『你父母在世時，不肯出外做官，固然是一片孝心，如今，父母已過世，實在沒有理由再三辭官。』

於是，包拯接受命令，前往天長縣任職。

他到了天長縣不久，有一天，一個農人前來衙門，說是有強盜把他家中牛的舌頭割掉了。

『既然如此，你回去，把牛殺了拿去賣。』包拯回答道。

過了沒多久，有個鄉人前來告發有人私宰牛，包拯勃然大怒：『你這

開封府

個人眞狠，爲何割了人家牛舌又來告他？』

強盜嚇得吐舌頭，心想乖乖，這個法官好厲害。包拯擅長於判案的威名漸漸傳開。

不久，包拯被改派端州，端州這個地方以硯台出名，前任太守，為結交權貴，製造了大批硯台，做爲公共關係之用。包拯到了端州，只准製造需要上貢皇帝數額的硯台，他自己一個硯台也不帶回家。

由於包拯爲人清廉方正，又改任監察御史，由地方官升爲京官，他曾經上書皇帝：『國家每年用歲幣賄賂契丹，實非禦戎之策，應該練兵選將，務實邊備。』

包拯曾經出使契丹，契丹問他：『雄州新開便門，這分明是引誘我國叛人，刺探邊疆之事。』包拯立即反駁：『泳州亦嘗開門，刺探邊疆也不用再開便門。』契丹無辭以對。

其後，包拯擔任諫官，他秉性剛直，不怕得罪人，數度斥責權臣用事，又上言天子應該接納忠言，辨明朋黨（仁宗朝，范仲淹、韓琦、富弼等被誣爲朋黨），不久被任命爲龍圖閣直學士。

包拯最風光的一段歷史，該是他任開封知府之時，由於他爲人剛毅，一些個享有特權的貴戚宦官都畏懼他三分。

由於包拯絲毫不講情面，開封上上下下的人都說包拯之清廉可比之青天，因此給他一個『包青天』的美名，婦女小孩也知道開封府來了這樣一個包青天，在背後尊稱他爲『包待制』，京師還傳一句諺語：『關節不到，有閻羅包老。』在人們心目之中，包拯就是活閻羅，任何人做了壞事，不要想逃過他的法眼，凡是爲非作歹的，都要得到報應。

在過去，凡是前來訴訟的，不能直接到達庭下，總要經過代轉，這其中有很大的流弊。包拯來了，大開正門，凡有冤屈者，可以直接進入衙門找包拯，如此一來，官吏不能欺負百姓，也不能賺取紅包好處。

當時宦官這股惡勢力很大，他們大規模的築園建林，侵擾惠民河，以至於河水阻塞不通。適逢京師豪雨漲水，淹沒不少人家。包拯立刻下令把宦官的園子拆毀，這種氣魄，這種擔當，百姓個個舉起大拇指誇好。

包拯在開封府待了一段時期，又改任爲御史中丞，包拯直言無隱的上奏皇上：『東宮虛位已久，天下以爲憂，陛下持久不決，這是什麼道理？』

他這句話，問得相當唐突，意思是指，皇帝不早決定太子人選，萬一哪一天有個三長兩短，誰來繼位，豈不天下大亂？這個問題，普遍存在每個臣子心中，可是誰也不敢開口問此敏感問題。

仁宗反問包拯：『你認爲立誰比較適合？』

包拯一清喉嚨道：『臣不才備位，乞求預立太子，是爲宗廟社稷，陛下問我要立誰，這是懷疑臣子受了誰的好處。臣今年已七十高齡，而且兒子又死了，並不是希望建議哪位爲太子，企圖邀後福也。』他有一句說一句，單刀直入説出仁宗的小人之心度君子之腹。

仁宗也爲包拯這份剛直逗笑了：『好、好，我慢慢會考慮。』

包拯性情耿直敦厚，嫉惡如仇，爲人相當嚴肅，不喜歡扮著笑臉去迎合小人，即使做到高位，他的衣服飲食一如布衣之時，也就是這份清廉，使得他可以堂堂正正做該做的事。嘉祐八年病卒，贈謚孝肅。

中國民間對包拯的傳說最多，提起包青天人人佩服，這是因爲中國人骨子裡敬慕忠孝節義，有強烈的是非觀念。包拯是遠在宋代的古人，他的問案方式、辦案技巧早就落伍，今天不再容許裝神弄鬼來逼供，但是包拯的鐵面無私，凡事只以正義法律爲依據，絕不因私情與權勢有所遷就的擔當，仍然值得效法。

閱讀心得

【第401篇】司馬光和資治通鑑。

提起『司馬光』三字，幾乎每個小朋友都會接著說『司馬光打破缸』。司馬光六、七歲時，與鄰居小朋友一塊玩耍，有個頑皮的孩子跌入缸中，小朋友們一見出事了，嚇得哭著跑回家。司馬光卻很鎮靜的留下來，拿起石頭把缸打破，救出差點活活被淹死的小朋友。

老實說，不要是小孩，就是一般大人，也不見得如此聰明沉著，這固然是司馬光富有機智，也表現出他自小有強烈的責任感。

司馬光的家教很好，他的父親司馬池是進士出身，曾經擔任天章閣待制，以爲官清直仁恕見稱於當世。司馬光是個小神童，當他六歲時，在外面聽到人家講《左氏春秋》，歡喜得不得了，回到家中，一五一十講給家人聽，說得頭頭是道，顯然已經大概了解書中的道理。

宋仁宗寶元初年，司馬光考中進士，十年寒窗無人問，如今一舉成名，凡是考中的同年都聚在一塊飲酒作樂，年方二十歲的司馬光爲人拘謹，性情樸實，而且還帶有幾分羞澀，他在喜宴之中不好意思戴上大紅的花，旁人告訴他：『這是皇帝賜的，不可違背。』他才靦腆的把花簪上。

司馬光以二十歲的年齡，一舉考中進士，相當不容易，大家都對他刮目相看，以後他一路自武成軍判官事，做到大理評事，補國子直講，仕途

順利，但他是一直以天下為己任的知識份子，正直敢言，不畏權勢。

從嘉祐元年以後，宋仁宗健康情況一直不妙，又接連死了三個皇子，大家都擔心皇嗣問題，包拯也曾上諫（見上篇），仁宗卻始終未立皇子。天下人寒了心也不敢再提。

司馬光當面告訴仁宗：『願陛下果斷力行。』

仁宗沉思了半天道：『此忠臣之言耳，一般人不敢提。』

『臣言此，自知必死，不求陛下開恩。』司馬光仍然相當坦然。

結果，仁宗沒有怪罪司馬光，卻也沒有立皇嗣。司馬光又寫上一個奏章曰：『臣前向皇帝報告，皇帝答應即行辦理，一直到今天都沒有消息，這必然是有小人言陛下春秋鼎盛，身體健康，何必做此不祥之事。但是小人無遠慮，萬一倉促之間，讓宦佞迎立新王，不又成了唐朝「定策國老」、「門生天子」之禍。』

仁宗看了，大爲感動，把司馬光的上書送中書省，不久，以秦州防禦使趙宗實爲皇嗣，這就是日後的宋英宗，當時以賢孝著稱。

仁宗之後，英宗即位只當了短短四年皇帝，神宗繼位，年輕的皇帝任用王安石爲相，大規模的進行變法。

司馬光與王安石都是好學深思，生活儉樸的君子，而且都不好聲色。據說，有一回司馬光的夫人因爲自己沒有生兒子，爲司馬光找了一個姨太太，司馬光看都不看一眼，夫人打發侍妾入書房，司馬光怒喝一聲：『夫人不在，你膽敢進來！』竟把她趕跑了。

他二人不爲權勢，不爲金錢，一心爲國，但兩人觀點不一，司馬光曾寫一封信勸王安石『不要用心太過，自信太厚』。王安石執拗孤傲聽不進去。司馬光遂辭官回家，退居洛陽，絕口不問政事，專心於史學研究。

司馬光從小就愛讀歷史，有志於著述。後來，宋英宗即位，好與群臣討論歷代政治得失，當時，司馬光擔任天章閣待制兼侍講，他以爲歷代史書繁重，君主沒有時間遍覽群籍，非常可惜，而司馬光又以爲歷史太重要了，假如一個君主不知歷代興亡治亂的原因，他怎能成爲一個好君主呢？

於是，司馬光仿照他幼年最愛的一本書《左氏春秋》的體裁，節錄戰國到秦朝的歷史，取名爲志，呈獻給英宗閱覽，英宗大爲讚賞，鼓勵他繼續寫，並且派人當他助手，司馬光找了劉恕、劉攽、范祖禹三位學者共同幫忙。

從此，司馬光一頭栽入史學研究之中，居住洛陽達十五年之久，完成這部鉅著，上起戰國，下迄五代，凡一千三百六十二年，獻上朝廷後神宗賜名爲《資治通鑑》。

司馬光寫這部書是先蒐集資料，再按年月日排比，最後考證、取材，寫成正文，他『日力不足，繼之以夜』，每天規定自己寫滿一丈紙的資料，據說，書成之後，所有資料裝滿兩間屋子，宋朝大文學家黃庭堅曾經前往參觀，他隨手拿起數卷閱讀，發現兩大房子的文稿，全部用蠅頭小楷，工工整整寫成，一個草字別字都沒有，不禁嘆曰：『佩服、佩服。』

《資治通鑑》雖出自眾人之手，但由司馬光總其成，把全文寫定，並且分段批評史事，司馬光不但學識豐富，眼光文章更屬一流，文章氣勢雄偉，而且感人至深，與司馬遷的《史記》一般，成爲日後研究中國歷史必讀之書，也是最優美的中國文學的典範。

吳姐姐講歷史故事之中許多有趣的故事都取材自《資治通鑑》，這實在是一本令人著迷的好書，雖然市面上有不少白話本，各位讀者如果有興趣，不妨還是讀一讀原本，並不一定要一個字一個字看，可以挑喜歡的、有趣的閱讀，尤其讀過吳姐姐講歷史故事之後，對許多史事有大概的了解，讀起來會頗有親切感。

閱讀心得

【第402篇】

司馬溫公的風範。

在上篇〈司馬光和資治通鑑〉之中，我們説到，司馬光與王安石同爲君子，彼此政見不合。由於宋神宗重用王安石實行新政，司馬光遂辭官，徙居洛陽，專心編修資治通鑑，如此一晃十五年。

在這段期間之中，司馬光專心於史學，絕口不談政治，他的道德文章學問卻爲全國所敬重，就是田夫野老也知道有個司馬相公了不起，天下視之爲眞宰相。

元豐八年三月，宋神宗去世，太子趙煦即位，是爲宋哲宗。哲宗年方十歲，由神宗的母親太皇太后高氏聽政。

司馬光聽説神宗皇帝崩逝，自洛陽奔喪入京，衛士們遠遠望見，高興得互相推碰道：『是司馬相公哩！』這一傳開之後，所到之處，老百姓夾道歡迎，道路阻塞，馬不能行，還有人爬到樹上、屋頂上，爭著瞻仰司馬光的風采。

於是，屋瓦被踏碎了，樹枝被折斷了，大家不讓司馬光回去，高聲喊道：『相公不要回洛陽了，留下來輔佐天子，救活我們老百姓吧！』這眞是千古少見的盛況，司馬光本來是個拘謹害羞的君子，嚇得趕緊回到洛陽。

當時，贊成舊法的蘇東坡也接到高太后之詔，由登州調回京師，一路

之上都有百姓拉住蘇東坡，拜託他：『請告訴司馬相公，不要離開朝廷，救一救我們。』

這時，高太后遣派使者，前往請教司馬光目前國家當務之急，司馬光答稱：『當下明詔，開言路。』換句話說，司馬光建議凡是知道朝政闕失，民間疾苦的，都可以盡情發言，不用有所隱瞞。高太后接納了這個建議，一時之間，上書者有數千人之多，大多是批評王安石的新法不適當。於是，高太后以司馬光爲門下侍郎，廢除新法。然而有人以『三年無改於爲父之道』，反對一下子改掉神宗倡議的新法。

司馬光反駁道：『先帝之法，其善者雖百世不可改變也，但如王安石、呂惠卿所建立的新法，爲害天下，我們應該像救火拯溺一般愈快愈好，何況現在是太皇太后當政，算是母親改變兒子的做法，並非以子改父大逆不道。』司馬光這番話說得很有道理，於是他依次廢除種種新法。

這時的司馬光，體力精神已大不如前，但是他拚了老命想好好有所作爲，連遼人也對邊疆官吏叮嚀：『現在宋朝是司馬光爲相，大家切勿生事。』

在司馬光心目之中，青苗、免役、置將三種新法沒有廢除，是爲三大內憂，而西夏未除，爲一大外患，他常常對人說：『四害未除，我死不瞑目。』並且寫了一封信給呂公著說：『光以身付託醫生，以家付託兒子，惟國事無人所託，現在一切拜託你了。』

由於司馬光不分晝夜爲公事繁忙，一天比一天羸瘦，許多人都以諸葛亮『食少事煩，其能久乎』一事請以爲戒，司馬光卻一心一意效法諸葛亮鞠躬盡瘁死而後已的精神，他對勸告他的人說『死生命也』，又一頭埋入公務之中。

等到病重了，司馬光仍不自覺，半夜做夢，夢話之中都是國家大事，當他在哲宗元祐元年九月溘然長逝，老百姓聽聞惡耗，生意也不做了，一起上街買白布製衣祭奠，巷里之中一片哭聲，京師人民還畫了司馬光的像，刻了印出來賣，家家戶戶都捧著一本祭拜，高太后哭得傷心透頂，追贈太師、溫國公，因此後代稱之爲司馬溫公。

司馬光爲人孝友忠信，恭儉正直，動作有禮，當他居住在洛陽之時，經常去拜望長兄司馬旦，當時司馬旦已是八十多歲的老人了，司馬光對他是『奉之如嚴父，保之如嬰兒』，人們傳之爲美談。

司馬光是個律己甚嚴的君子，從小到老，從來不亂講話，他曾經對人說：『我沒有什麼過人之處，但平生所爲，從來沒有不可對人言者耳。』

在高太后當政這段期間，以前反對王安石的舊人紛紛復官執政，他們這班人多半是碩學耆宿，在社會上很受尊敬，史稱爲『元祐諸君子』。

元祐八年，太皇太后病逝，宋哲宗親政，改元紹聖，由於在高太后當政期間，小皇帝凡事不能做主，連臣子都不大理他，心裡憤憤不平，無形之中對高太后的行政都抱有反感，於是有些野心家在旁煽動，搬出『紹述』的口號，紹聖是哲宗年號，紹述乃恢復祖先作風之意，爲了要恢復新政，哲宗下令奪司馬光等人的贈謚。哲宗去世，向太后聽政，再用舊黨，向太后去世，徽宗親政，又追貶舊黨，任用新黨。

徽宗之時，蔡京擅政，撰寫『奸黨碑』，把司馬光等寫得狗血淋頭，並且命令全國刻奸黨碑，有一個長安石工名叫安民，不肯刻石碑，這石工說：『民是一個愚人，固不知立碑之意，但如司馬相公者，海內皆稱其正直，今謂之奸邪，我不忍心刻下去。』官府官員大發脾氣，安民哭著說：『那麼請求不要在碑上刻我的名字，我不願得罪後代，遺臭萬年。』可見是非公道在人心。靖康元年，還贈司馬光之謚。

司馬光過分擇善固執，他的好友蘇東坡有時氣得罵他『司馬牛』，但他的忠君愛民，他在編修資治通鑑的貢獻，永遠為後代所懷念。

閱讀心得

【第403篇】

章惇的嘴臉。

在上篇〈司馬溫公的風範〉之中，我們曾經提起，元祐八年，太皇太后高氏病逝之後，十八歲的哲宗親政，明年，改元紹聖，立刻又實施新政，這其中還有一段故事：

原來，高太后當政之時，哲宗完全沒有說話的份兒，司馬光等老臣根本都不睬他，種下他對元祐學者的不滿。

尤其哲宗因爲逃學，元祐學者曾經上書給小皇帝與太后，指責他貪玩兒，荒廢學業，哲宗很委屈地告訴過章惇。有一天，他發現宮中二十個宮女之中，有十個被免職，換上一批新人，過了沒有兩天，另外十個也換走了。臨行之前，宮女眼中個個含著淚珠，似乎曾被太后嚴詞盤問。

由於哲宗對太后不滿，連帶的，對太后主張的措施也心生反感，於是一個野心的投機份子禮部侍郎楊畏乘機加以利用。太后剛剛下葬，他立刻上疏哲宗，大大誇讚當年神宗變法之深意與王安石學問道理之美，而且把章惇、呂惠卿等新法大將也猛誇一陣。

哲宗非常興奮，立刻下詔，任用章惇爲資政殿大學士。章惇是何許人也？讓我們話說從頭：

章惇，字子厚，建州人，他人長得很漂亮，豪邁英俊，博學善文，進

蘇軾
章惇來

士登名，曾與蘇東坡相交往。

蘇東坡剛出道，在鳳翔任官之時，章惇爲商洛令。有一回，這兩個年輕人共遊南山，深入仙遊潭，潭下絕壁萬仞，激流飛湍，潭上架著一片薄薄的木板，章惇慫恿蘇東坡一同去峭壁上寫『到此一遊』四字留念。

蘇東坡望一望有百十尺深的急湍，心裡怕怕，笑著搖搖頭。章惇勇氣十足，先過小橋，攏一攏長袍，抓起一根吊索，像電影裡的泰山一般，沿著峭壁到了對岸，瀟瀟灑灑，以漆墨濡筆在石壁上寫：『蘇軾、章惇來。』然後，章惇神態自若的走回來，蘇東坡拍一拍章惇的背道：『有一天你會殺人。』

『爲什麼？』

『能玩命的人，也就能殺人。』

章惇昂首大笑。

蘇東坡沒有看錯，這個外表聰明、熱情的青年的確帶有幾分危險性，是個亡命之徒。

不久，王安石實施變法，由於朝廷之中老派人士持盈穩重，不與王安石合作，王安石只有用一些輕進少年，像章惇這種人，就得王安石的賞識，扶搖直上；後來，新法失敗，神宗去世，高太皇太后垂簾聽政，章惇曾在簾前與太后辯論，惹惱了太后，被貶為汝州知事。

如今，哲宗親政，章惇再度被用，他逮住機會，準備狠狠報復，喊出的口號是『紹聖紹述』，紹聖為哲宗年號，紹述乃恢復祖先作風。在這個標語之下，太后攝政期間一切大臣都背上一個『破壞先皇政績』之死罪，太后被控『老姦擅國』。

爲了加深哲宗對元祐黨人的惡感，章惇等人甚且搬出一些莫須有的證據，誣賴太后曾有廢立之謀，甚且作詔書請廢太后爲庶人（平民），把靈牌趕出皇家祖祠，幸虧哲宗還算有一點理智，他對章惇說：『你要我永遠不進英宗的祖祠嗎？』

在章惇瘋狂報復浪潮之下，元祐舊黨或被貶謫、或遭禁錮，甚且已經去世的，章惇也不饒他。司馬光的家產被充公，墓園被拆毀，還有人建議燒毀《資治通鑑》，好在有人想起這是先帝寫過序文的，才免於一劫。章惇還準備嚴厲對付司馬光的後代。

曾布曾經再三勸章惇，不要太過分了：『別忘記我們自己的子孫後代也許也會碰到同樣的情形。』

『不，死後貶官沒有意思，只有懲罰後代才是眞實的行動。』章惇毫不留情的反駁。

當年與章惇攜手共遊的蘇東坡，章惇也不放過他，章惇拜相之後，第一件事，先把老朋友貶到嶺南。其後，聽說蘇東坡寫了兩行詩，描寫自己如何在春風中小睡片刻，聆聽廟院鐘聲，章惇大怒，『原來他還挺愜意的嘛！』再把蘇東坡貶到更遠的不毛之地——海南島。

蘇東坡被貶，與他手足情深的弟弟蘇轍也難逃惡運——被貶雷州。兄弟兩人在途中相遇，不勝唏噓，當地的雷州太守一向崇拜三蘇父子，熱熱烈烈拿出酒菜招待他們，結果第二年，雷州太守因而被彈劾免職，蘇轍也被安上一個強佔民宅的罪名。

俗語說冤家路窄，哲宗去世後，徽宗立，章惇曾說過徽宗輕佻，不適合當皇帝的話，被貶到雷州，結果沒有居民願意把房子讓給他住，並且諷刺道：『以前蘇公來，由於章丞相之故，幾乎害得我家破人亡，我們哪敢重蹈覆轍。』

王安石、司馬光雖然意見相左，總是苦心孤詣，志在救國，偏偏有章惇一類奸邪小人成事不足敗事有餘，興風作浪，危害國家，宋朝本來已是積弱不振，如此一攪，國事遂大壞。

閱讀心得

【第404篇】

大晏與小晏。

詞是宋代文學的靈魂，世人皆以唐詩、宋詞、元曲並稱。詩與詞一脈相承，詞是可以唱的。詞在宋朝一代，不只是獨立的文學作品，同時又有積極的音樂功能，無論朝廷的盛典、士大夫的筵席、長亭離人的送別、娼樓妓女的賣唱，處處都離不開詞，再加上君主的愛好與提倡，詞就愈發興盛了。

另一方面宋朝道學家多，講究文以載道，正心誠意，提倡古文運動，只有在詞中宣洩感情，連先天下之憂而憂的范仲淹也有『酒入愁腸，化作相思淚』的名句。我們今天要談的大晏、小晏都是宋代詞壇上重要的人物。

大晏是晏殊，字同叔，是個小神童，他七歲的時候已經能夠拿起筆來寫文章，宋眞宗景德初年，晏殊只有十三歲，張知古把他推薦給皇帝。於是，晏殊參加殿試，他雖然年紀小，一點也不怕，看起來還頗爲神氣，拿起筆來一會兒就寫好了，被賜同進士出身。

過了兩天，晏殊再參加廷試考詩、賦、論，他看了題目一眼，把卷子捧去給皇帝說：『這個題目我十天前剛好寫過，請另外命一道題。』

我們一般人若是拿到考卷，發現是模擬考前猜題之中有的，高興還來不及，晏殊竟然傻傻的要求換題，實在頗爲奇怪。

一曲新詞酒一杯去年
天氣舊池台夕陽
下幾時回無可
花落去似
燕歸來小園香徑
獨徘徊
晏殊浣溪沙

眞宗皇帝很嘉許他的老實，讚美不已。東宮官（太子侍讀）出缺，皇帝下令以晏殊遞補，並且對他說：『因爲你勤奮讀書，不愛遊玩，所以配作東宮官。』

『我也不是不愛玩，只是我玩不起。』晏殊又老老實實的回答。

宋眞宗對他愈加信任，再加上他謹愼小心，處事愼重，又再升爲翰林學士。

宋仁宗幼年時，晏殊與另外一個小神童蔡伯俙一塊在東宮伴讀，仁宗貪玩兒，宮中有許多高的門檻他跨不過去，這時蔡伯俙就會趴在地上，讓太子從身上跨過，晏殊卻不肯像奴才般巴結小主子。

但是，仁宗皇帝並沒有因而記恨，即位之後，晏殊一路做到集賢殿學士、同平章事的高官，慶曆四年登閣拜相，官運亨通。

晏殊爲人性情剛直，學問淵博，有愛才之心，歐陽修、王安石都出自其門下，他在任職應天府時，范仲淹正好因母喪辭官，晏殊找了范仲淹來，教導學生讀書。五代之後，天下大亂，學校荒廢，晏殊算是首先興學者。

晏殊有伯樂之慧眼，所以他很會挑女婿。范仲淹有一回把富弼的文章拿給晏殊看，晏殊馬上要了富弼這個乘龍快婿。晏殊還有一個女婿楊察也是勤於吏職，遇事明快，當世稱讚不已的良才，宋史之中有傳。

晏殊在政壇上並沒有特殊的表現，但是他的詞卻是北宋初期詞之開山祖師，與歐陽修並列其名。

一提起晏殊的詞，人們馬上會想到他的代表作『浣溪沙』：

一曲新詞酒一杯，去年天氣舊池台，夕陽西下幾時回？
無可奈何花落去，似曾相識燕歸來，小園香徑獨徘徊。

——一杯酒，一闋新詞，池台依舊，仍似去年一般的天氣，但是夕陽何時再回？夏天到了，花朵凋謝，舊時相識的燕子又飛了回來，只有我一人孤獨的在院中徘徊佇立。

這首詞浸透著淡淡哀愁，使人有徘徊流連之感，寫得眞美。

晏殊六十五歲那年，病重不起，仁宗皇帝想去探視病情，晏殊上奏：『臣老疾，即將痊癒，不足爲陛下憂。』婉謝君主好意。過了沒兩天就死了，仁宗親臨祭奠，深以未去探望爲恨，爲此，罷朝二日。

晏殊老年得一子名晏幾道，號小山，後世稱爲小晏。他童年時，父親為宰相，家境富裕，七、八歲時晏殊去世，家道中落，他不能適應，因此頗為多愁善感，正適合寫詞。

據說，蘇東坡曾想認識晏幾道，提他一把，晏幾道回絕了，他說：『今天政事堂中，一半都是吾家舊客，我還沒有工夫去見呢！』口氣相當狂傲。他的後半輩子始終在貧困之中輾轉流離。

小晏這個公子哥兒，在詞學的成就卻不遜於大晏，我們日常所熟悉之名句『落花人獨立，微雨燕雙飛』；『衣上酒痕詩裡字，點點行行，總是淒涼意』；『相思本是無憑語，莫向花牋費淚行』——花牋是信紙之意。這些都是非常含蓄，耐得住細細品味的名句。

論起晏氏父子，許多人都會想到南唐二主李璟、李煜父子，他們境遇不同，詞風各異，然而都是中國詞壇上不朽的人物。

閱讀心得

【第405篇】黃庭堅創立江西詩派。

在宋朝，詞學乃一代之主流，由於詩在唐朝已經發揮得淋漓盡致，後代難以超越，宋朝除了詞學之外，在詩上有成就的作家，除了前面說過的蘇東坡之外，應該算是黃庭堅了。

黃庭堅，字魯直，自號山谷，後代多稱之爲黃山谷，洪州分寧人。黃庭堅事奉母親非常孝順，他是大家所熟悉的二十四孝之一的人物。

黃庭堅的母親有潔癖，受不了馬桶的異味，黃庭堅從小開始，每天把母親大人的馬桶刷洗得一塵不染，清潔溜溜。

馬桶臭臭，黃庭堅卻絲毫不以爲意，他後來做了高官，家中僕從甚多，大可不必親自動手，但是，黃庭堅堅持不許任何人碰母親的馬桶，直到他四十多歲，母親去世，黃庭堅都數十年如一日地清掃馬桶。

當黃母病危之際，黃庭堅更是日夜侍奉在病榻，連衣服都不肯脫。黃母病故之後，黃庭堅由於哀傷過度，幾乎自己也病倒。

我們現在大都使用抽水馬桶，用不著效法黃庭堅，不過他這種敬愛父母的孝順精神，值得後人發揚光大。

黃庭堅幼年時喜好讀書，由於他做什麼事都非常專注，因此養成過目不忘的本領。有一回，黃庭堅的舅舅李常到他家來玩，順手取下黃庭堅書

架上的書，隨便考考他，結果發現這個小外甥對答如流，高興得拍拍他的小腦袋說：『你眞行！』

黃庭堅曾經說過一句名言：『吾三日不讀書，便覺得面目可憎，言語可厭。』

治平四年，黃庭堅考取進士，王安石讀了他的詩，讚美他爲『清才』，絕非爭名逐利庸俗之人，蘇東坡用『超軼絕塵，獨立萬物之表』稱讚。俗話說『文人相輕』，蘇東坡如此抬舉後進，表現出他的胸襟度量的寬廣。

哲宗即位，黃庭堅奉命撰修神宗實錄，所謂實錄是自梁武帝以後，史官根據檔案、奏章、詔書及私人筆記，按照年月日，逐日記載某一皇帝的言行及國家大事。

神宗實錄修好之後，正逢奸邪小人章惇當權，章惇與他的同黨認為實錄寫得不對，把黃庭堅找來質問，黃庭堅一條一條據理以辯，章惇啞口無言，一氣之下，把黃庭堅貶到黔州。

黔州即今天的貴州，號稱『天無三日晴，地無三尺平，人無三兩銀』。是個交通阻塞、瘴氣為癘的不毛之地。當被貶的命令頒下之後，他的朋友都忍不住哭了起來，黃庭堅卻處之泰然，表現出絕佳的修養。他認為自己的立場是對的，不能討好小人修改史書，所以即使到了荒涼一片的黔州，他還是安之若素。還有一些蜀人慕他的名，跑到黔州找他講學，經他指點調教過的學生，寫起文章來下筆皆可觀。

後來，黃庭堅因為得罪趙挺之，趙挺之時來運轉之後，公報私仇，把黃庭堅再貶到宜州。他到了宜州之後更是悽慘，據他形容他居住的地方很小，屋頂很低，下面是市場，人聲喧雜，西鄰是屠牛場，不時傳來屠牛的哀號與刀聲，眞夠大詩人消受的了。黃庭堅最後就死在這個連毛筆都沒有的宜州城樓之上。享年六十一歲。

黃庭堅一生遭遇是可悲可嘆的，但是他卻不因此而消極頹唐，反而創立了江西詩派，為後人所崇奉。

詩到了宋朝之時，由於唐人的成就太輝煌，任你如何的聰明才智也難超出既有之成就，黃庭堅就創立了一種脫胎換骨之法。

譬如說，李白有詩『白髮三千丈，緣愁似個長。』黃庭堅更改為『繰成白髮三千丈』。又白居易有首詩：『百年夜分半，一歲春無多。』黃庭堅改為『百年中去夜分半，一歲無多春再來。』人們都稱他為江西詩派的開山祖師。

江西派作起詩來認眞又嚴肅，與李白的瀟瀟灑灑完全不一樣。譬如有個江西派詩人陳無己，每次有了一點靈感，趕快回家，把頭蒙在被子中，不能聽到一點聲音，家人們一見此景，趕快把豬狗趕走，把啼哭的小孩寄在鄰家，一直到陳無己的詩作好了，把頭徐徐伸出被窩，家人生活起居才恢復正常。此謂之吟榻。

黃庭堅寫過一首詩：『閉門覓句陳無己，對客揮毫秦少游。』正好把黃庭堅、蘇東坡兩派寫詩的作風，做了一個明顯的對照。陳無己是黃派，艱困努力完成一首詩；秦少游是蘇派，是對著客人，在流爽暢達之下就能寫成一首詞。

雖然一個是即興派，一個是痛苦派，蘇、黃兩人卻是莫逆之交。蘇東坡曾說黃庭堅是『瓌偉之交，妙絕當時，孝友之行，追配古人。』

順道一提的是在宋仁宗慶曆年間，畢昇發明膠泥活字版，他原是一位技術工匠，雕刻木板文字與佛像等，由於認字多，文化程度提高，引起了他改革雕刻的興趣。

畢昇原先用棗木做試驗，不幸失敗了，後來想起中藥中有龜膠之類的，堅硬如鐵，晶瑩光潔，遇火即熔，冷後又堅固不化，經過多次失敗而告成功地發明了單個的活用膠泥字，由於他與歐陽修、蘇東坡、司馬光、王安石、黃庭堅同一時代，經由畢昇發明活字印刷術，而使得這些人文章更能流傳後代，畢昇對教育的普及、文化的傳播、學術研究之促進，功不可沒。

閱讀心得

【第406篇】邵雍與周敦頤。

宋朝一代，雖然國勢積弱不振，可是學術相當發達，理學就是宋朝學術之精華，又稱之爲道學。

中國的儒家思想，到了宋朝，不再從事瑣瑣碎碎的考證章句，轉而講求做人的工夫，再加上外來的禪學、佛學的影響，變化糅合，產生了理學。

理學產生的另一個因素是，自從唐末五代以來，道德崩壞，不顧廉恥，宋朝的讀書人爲了要拯救這股頹風，特別提倡修身養性，希望重整社會，尤其當時配合國家的統一，君主的提倡，書籍的流傳，造成理學蓬蓬勃勃的開展。

提到理學，人們立刻會聯想到著名的北宋五子：邵雍、周敦頤、張載、程顥、程頤。

邵雍，字堯夫，祖籍河北范陽人，他的祖父、父親都以品學著名，尤其父親邵古在聲韻學上極有研究，邵雍可以稱得上是家學淵源。

在邵雍幼年之時，他隨父母遷居共城，從此一面苦讀、一面耕田奉養父母。他自小志氣遠大，除了發憤忘食精研儒、道、佛的書籍，更自己創立一套方法修養身心：

在夏天，汗出如漿，邵雍不肯打扇子，到了冬天，氣候嚴寒，他也不

生爐火，甚且，爲了考驗自己的耐力，一連好多年，不願上床睡覺，每天晚上開夜車。

邵雍曾用『欲爲天下屠龍手』形容年少苦讀的壯志，讀過萬卷書之後，邵雍開始行萬里路，他渡過了黃河、淮河，參觀了魯、宋、齊舊地，最後，在洛陽定居下來。

由於環境清苦，邵雍在洛陽住的房子，又小又破，他卻絲毫不在意。有一天半夜，進士王豫冒著大雪去拜訪邵雍，發現邵雍莊嚴端正坐在書桌前，滿臉神聖不可侵犯的威嚴，王豫肅然起敬。

然後，兩人談起學問，邵雍講得頭頭是道，王豫大爲佩服，當下嚷著非拜邵雍爲師不可，從此，邵雍的學問逐漸傳開。

後來，司馬光在洛陽埋首著作《資治通鑑》，富弼、呂公著等賢人退居洛陽，都與邵雍結爲好朋友。司馬光等人更湊了一點錢，幫邵雍購置一比較像樣的房子，邵雍仍然自耕自食，自得其樂，自稱爲『安樂先生』。

每到春秋佳日，邵雍興致來了，乘個小車到處逛逛，士大夫們聽到他的車聲，爭相迎候，小孩子都拍着手大叫：『我們家的先生來了！』大家都尊稱他一聲先生，不再呼名道姓。

要是有人自己行爲不正，或者說話不檢點，彼此會互相警告道：『噓，小聲一點，別讓先生知道了，不好意思。』可見邵雍已使得百姓敬慕道德，有羞惡之心。

到了六十歲那年，邵雍換上了隱士的服裝，頭戴一頂烏帽，據說能預知未來，再加上他曾從李之才處取得先天易學，易學本身極爲難懂，使他頗具半仙色彩。

到了後代，人們逐漸忘卻邵雍以潔性著名，倒是一些算命卜卦者，推尊邵雍爲開山祖師，江湖術士手上拿的那本《鐵板神數》也說是邵雍寫的哩。

理學家除了邵雍之外，周敦頤也是相當重要的一位人物。周敦頤，字茂叔，湖南人，他小時候家鄉有一條小河叫濂溪，後人尊之爲濂溪先生。

周敦頤十五歲那年，父親不幸過世，母親鄭氏帶着他投奔在京師擔任龍圖閣直學士的舅舅——鄭向，鄭向對這氣宇軒昂的外甥十分喜歡，大力的予以培植。

二十四歲那年，周敦頤被朝廷派往洪州（今南昌）擔任分寧縣主簿，那兒有件官司纏訟多年，不得要領，周敦頤到了，立刻有明正的判決，鄉里之人都非常佩服。

其後，周敦頤升爲南安軍司理參軍。那個時候，獄中有名囚犯依法不該被判死刑，可是轉運使王逵性情苛刻，堅決主張非定死罪不可，官府裡的人怕丟官，沒人敢出來講公道話。

周敦頤可不怕，他跑去與王逵激烈的辯論，王逵很生氣，周敦頤也是火氣沖天，他說『用殺人來獻媚，這種事我不幹！』最後，那位囚犯免於死罪。王逵也欽佩周敦頤的勇氣，兩人不打不相識，後來王逵還推薦他擔任郴縣縣令。

周敦頤無論擔任何種官職，都深受百姓愛戴，而且爲官清廉。有一日，公務繁忙，累病了，躺在家中昏睡一天一夜才睜開眼睛，他的好友潘興嗣前去探病，才發現周敦頤實在窮得可憐，原來他把官俸都賙濟鄉里了，家裡只剩下一個破衣箱。

由於百姓特別喜愛周敦頤，也特別引起他長官趙抃的不悅，每次總是故意刁難，周敦頤也不在意，後來趙抃有機會仔細觀察他的爲人，大爲懊悔過去的誤會，握着周敦頤的手一直說『好險，我幾乎失去一個好朋友。』

周敦頤生平最愛蓮花，他曾經寫了一篇『愛蓮說』，他個人的行爲也正如蓮花一般『出汙泥而不染，濯清漣而不妖』。由於他的行爲光明磊落，黃庭堅曾推崇他是『人格甚高，胸懷灑落，有如光風霽月』，這幾句話及『蓮花出汙泥而不染』，都成爲後代讚美人們品性高潔的名言。

周敦頤所著的太極圖說與通書都是中國學術史上燦爛的一頁；理學家的學問比較玄，不易了解，但是他們心口如一追求道德完美的精神，使後世景仰。

【第407篇】

張載與變化氣質。

近年來，上上下下都在提倡『書香社會』的運動，提到讀書，人們最喜歡掛在口邊的一句話是，讀書能夠變化氣質，現在我們就要來談一談提出這句名言的宋朝大儒——張載。

張載，字子厚，先世本居於大梁（今河南開封），父親張迪，在宋仁宗時代任官涪州（在今四川），後來，張迪死於任上。由於家境不好，沒有能力返回故鄉，只有僑居在陝西鳳翔的橫渠鎮，所以後人尊稱張載爲橫渠先生。

張載小時候頂有志氣，喜歡與人談論兵事，當時中國西北正爲西夏所騷擾，民族感情強烈的張載，一心一意等著長大打西夏，為宋朝奪回洮西之地，報効國家。

張載二十一歲之時，他寫了一封信給他最崇拜的范仲淹，傾訴心中的抱負與理想，『先天下之憂而憂，後天下之樂而樂』的范仲淹看到這封信文字極佳，而且充滿了愛國熱忱，非常讚賞。

范仲淹一直認爲，國家強盛除了軍事之外，最重要的仍是文化，他看出張載有才學，能夠在文化上做個領導，所以回了一封信給張載，愛憐的責備他：『儒者自有名教可樂，何事於兵？』並且送他一本中庸，要張載

仔細研讀。

張載很感激范仲淹的教誨，開始研讀中庸，愈鑽研愈加有興趣，薄薄的一本中庸不足以滿足其旺盛的求知慾，他開始研求佛法，後來發現佛法非聖賢之道，又轉而再學六經。

這個時候，張載的學問已大大的有名，他每天坐在一張老虎皮之上，爲學生們講解易經，這是京師一件轟動的大事。有一天晚上，二程子兄弟（即程顥、程頤）來拜訪，三人興高采烈高談易經。

談完之後，張載自認爲在易學方面的研究，他比不上這兩兄弟，第二天一大早，張載鄭重向學生們宣佈：『最近見二程子，深明易道，我不能及，你們可拜二程子爲師。』從此以後，張載不再討論易學，專心的研究儒家思想。

三十七歲那年，張載考中進士，朝廷任命他為祁州司法參軍、雲巖令。張載當了縣令，便要把孔老夫子在論語之中所講的一番道理，徹底實踐。

論語學而篇中，子曰：『弟子入則孝，出則弟，謹而信，汎愛眾，而親仁，行有餘力，則以學文。』這句話的意思是說，少年弟子回到家中要孝順父母，到了外面要恭敬長上，做事謹愼小心，說話要守信用，廣泛地親愛大眾，親近有德行之人，這些種種都做到了，還剩下多餘時間精力，才開始學習詩書。

張載決定把這套孔門規矩在縣中實施，他自己先以身作則，每逢黃道吉日，必定預備了許多酒席，邀請鄉中年老的長者，親自為他們挾菜、斟酒，做給鄉中的年少子弟看，並且在席中誡訓子弟，要他們懂得養老事長，敦本善俗之意。久而久之，雲巖縣有古風的美譽傳遍各地。

宋神宗熙寧三年，神宗皇帝正準備勵精圖治，大加改革，聽到張載的大名，特別加以召見，詢以治國之道，張載的看法是：『爲政應效法三代』，神宗皇帝很高興，請他擔任崇文院校書。

此時王安石正在實施變法，理學家多半守舊，加上王安石剛愎自用，不肯禮賢下士，使得最注重個人修養的理學家們都反對變法。王安石請張載加入新黨，可想而知的，張載一口回絕：『公若與人爲善，則誰敢不盡力，但若要人還就你，那我不能効勞。』

王安石很生氣，找了一個理由要他去浙東，張載自知，得罪了王安石沒有好事，於是，託病辭官，回到了橫渠。一面著述，一面教學。

張載雖然離開了朝廷，卻比以前更辛苦，他在房間裡到處都擺了筆墨紙硯，惟恐有了救世理想來不及寫下來。到了晚上，躺在床上，還是滿腦子都是學問，想著想著，忽然有了新見解，一躍而起，點起燭火，又開始奮筆疾書，張載的傳世名作《正蒙》就是這樣趕出來的。

由於日夜苦讀，又不注意營養，久而久之，染上了肺病而死，死了以後，窮得沒有錢辦喪事，還是子弟們湊了錢，才爲老師購置一口棺材。

張載一輩子清貧如洗，每天都是粗茶淡飯過日子，他不但不以爲苦，而且，老是掛慮其他人的困苦，有時他端起白飯，想到路上有餓死的人民，會難過得吃不下飯。他發現社會貧窮問題之後，愈發嚮往古代的井田制度，他曾與幾位學者，共同買了一塊地，劃爲數井，嘗試實行古代的井田制度，可惜，計畫剛開始，他已病逝。

張載平日對學生講學，最注意『知禮成性，變化氣質』。也就是一個人應該藉著教育、學習的力量把汙泥去除，使其恢復原有之澄清狀態，一個不讀書的人『終看義理不見』。

張載爲北宋思想家的主要人物之一，他的學說包括天道、人生、德行、政事，範圍很廣，他曾經說過四句話，認爲是一個有使命感的讀書人應該終生追求的，那就是『爲天地立心，爲生民立命，爲往聖繼絕學，爲萬世開太平。』

閱讀心得

【第408篇】

程顥與程頤。

宋朝理學的開創者是我們前面所說的邵雍、周敦頤、張載，實際建立者還是程顥、程頤兩兄弟，人們稱爲二程子。現在，我們就談一談二程子的小故事。

二程子是河南洛陽人，家教非常好，程顥（號明道）比程頤（號伊川）大一歲。當程氏兄弟十五、六歲時，他們的父親在虔州做官，發現有位獄吏，年齡雖輕，只有三十出頭，卻是氣宇不凡，極有學問，這人便是周敦頤。於是程父命令兩兄弟向周敦頤問學，體會孔子、顏淵之學。兩兄弟自小立志爲聖賢。

除了父親之外，二程子的母親也極有學養，而且甚爲明理，程母經常掛在嘴邊的一句話是：『子女不成才，往往是做母親的偏袒。』所以程母從來不護短。

程顥高中進士之後，出任了好多年的地方官，官位雖小，他卻盡心盡力去做。他在當晉城令時，城中有個富人張氏，父親早已過世，有一天，有個老頭卻找上門來，對張氏說：『我是你的親生父親。』

張氏驚疑莫測，跑去找程顥，老頭兒對程顥說：『我是一個醫生，因爲遠出醫病，妻子生下一個兒子，家貧不能養育，所以把兒子送給張三翁。』

說著還從懷中掏出一張紙，上面寫著：『某年月日，抱兒與張三翁家。』程顥把字條還給老頭兒說：『奇怪，那個時候張三翁年輕得很，哪會有人稱他爲翁？』嚇得想敲竹槓的老頭兒落荒而逃。

程顥在地方上注重教育，破除迷信，閒暇之時，與父老話家常，教兒童讀書，人們視之如父母。由於政績好，被推薦到朝廷擔任御史，神宗皇帝很敬慕他的學問，時常找他談論學問，有一回，談得興起，神宗皇帝竟然連中飯都忘了吃。

此時，神宗已相當信任王安石，王安石認爲程顥滿口仁義，是迂闊的書生之見，滿臉不以爲然，程顥慢條斯理的說：『天下事非一家私議，希望你能平心靜氣聽聽人家的意見。』

王安石頓時面紅耳赤，後來，王安石排除異己，卻始終尊敬程顥。程顥脾氣相當好，修養到家，他的弟子們接受教誨有『如坐春風』之感，他自己也曾賦詩道：『閒來無事不從容，睡覺東窗日已紅，萬物靜觀皆自得，四時佳興與人同。』他永遠是心情愉快，態度從容，當他五十四歲去世之時，無論識與不識，都十分哀傷。

程顥的弟弟程頤，也是聰明好學，但是兩人性情完全不同，程顥寬宏和易，藹然可親，而程頤卻是謹嚴果毅，令人肅然起敬。

程頤一輩子不肯出來做官，但是卻答應爲哲宗皇帝講學。他講學之前，一定要先齋戒，希望心存誠敬，感動哲宗。有一次，講了一半，哲宗在花園中，順手折了一柳枝，程頤立刻訓誡哲宗：『現在是萬物生長的春天，皇上不可以無故摧折新生。』

哲宗嚇了一跳，他起初很怕程頤，後來逐漸有些厭煩。

程頤由於過分嚴肅，連司馬光都有些吃不消，司馬光與程顥是知己之交，與程頤卻談不下去。有一回，朋友邀程頤賞花，程頤大手一揮道：『我生平不曾看花。』朋友只好訕訕而去。

大詞人秦觀秦少游有次與程頤碰面，程頤問他：『「天若知，也和天瘦」這是你寫的句子嗎？』

『不錯！』秦少游把臉一昂，頗爲得意。

不料程老夫子臉一板教訓道：『上天尊嚴，豈可任意侮辱！』

由於程頤一派正經，時常受到蘇東坡的嘲弄，蘇東坡一向是妙語如珠，口沒遮攔，喜開玩笑，程頤怎麼受得了？而蘇東坡也不耐煩程頤的嚴苛作風。

司馬光去世時，葬禮由程頤負責，程頤不准司馬光的兒子站在棺材旁邊接待客人，因爲他認爲，孤哀子若是眞正孝順，應該悲慟萬分，不能見人。蘇東坡當衆用古語嘲弄程頤，大家笑了起來，程頤滿臉通紅，兩人結下了仇。

程頤還有一個『程門立雪』的故事：游酢與楊時兩位高足前來拜訪程頤，談完之後，老先生開始閉目養神，從中午到晚上，兩位學生一動也不敢動，天氣冷得要命，兩條腿都成了冰棍，一直過了許久，程頤才睜開眼睛說：『你們還在這兒？天晚了，回去吧！』等到兩人走出門外，外面已積雪一尺。

程顥、程頤兩兄弟承繼孔孟道統，共同支配了以後六百年的學術思想，是古今中外難得一見的思想家兄弟。

理學為中國儒學開闢一個新天地，不再注意章句考證，而從做人修身的義理上下工夫。五代以來寡廉鮮恥的觀念，也因此大大改變，在宋朝男人講忠孝節義，婦女也重視名節，有『餓死事小，失節事大』；所以宋朝的忠臣最多，但是也因為這些理學家標準太苛，有時不免意氣用事，使得宋朝常為一些小節鬧意見，缺乏如唐朝一般恢宏的氣度、大氣磅礡的精神。

閱讀心得

【第409篇】

文與可胸有成竹。

我們通常形容一個人事有定見，會說他是胸有成竹。這句成語的出處是來自宋朝畫竹的大家——文與可。

文與可，本名文同，但與可似乎較本名更爲人們所熟悉，號石室先生、笑笑先生，梓州人氏（今四川）。

文與可在幼年，已經顯露出過人的才學，引起鄉人的重視。與可讀書很用功，根基很扎實，在二十歲左右，已經博通經史諸子，當時的大文豪文彥博對他的文章十分誇讚，時常拿去給朋友傳觀。

宋仁宗皇祐元年，文與可登進士第，擔任過太常博士，集賢校理，後來出任陵州太守，陵州（今四川仕壽縣）是一個土地貧瘠的偏僻山城，只有三萬人口，他上任後發現當地的人民入夜即不敢出門，原來有些不法之徒會在黑漆漆的巷子裡做壞事，他立刻整頓治安，並且積極興辦學府，王安石因此讚美他『文翁出治蜀，蜀士始文章。』以後他一直擔任地方官。

元豐元年，文與可被召回京師（六十二歲），他不習慣京城生活，請求外調，那年十月奉命擔任湖州太守，不幸在赴任途中病逝。這位尚未到任的太守，卻建立了中國畫壇上有名的湖州畫派。

其實，文與可並非第一個畫墨竹的人，不過他的畫一出，有如光耀奪

目的太陽東昇，其他的火把立刻黯然失色。最能了解文與可的該算是蘇東坡，他二人是表兄弟，也是莫逆之交，文與可曾嘆息道：『世人無知我者，唯子瞻一見識吾妙處。』（東坡字子瞻）。

蘇東坡曾經寫過一篇文章，記載文與可畫竹是『必先得成竹於胸中，急起從之，振筆直遂，以追其所見。』我們後人就把一個人做事有計畫、有腹案、心中有數稱之爲胸有成竹。

所謂先成竹於胸中，當然不是憑空臆測，而是先加以仔細的觀察，他在守洋州時，曾經開闢了一片面積廣大的竹園，種植了各種竹子，細細加以觀察，詳察記錄了竹子生長的姿態，自然的規律，譬如他在竹譜詳錄之中有一段『竹生於石，則體堅而瘦硬，枝葉多枯焦；生於水，則性柔而婉順，枝葉多稀疏。』

由於文與可畫竹，先下過一番仔細的工夫，所以他筆下的晴竹、風竹、雨竹、露竹、霜竹、雪竹、凍竹都有不同的風貌，這種強調藝術規律配合自然規律，主觀感受與客觀條件互相配合的原則，正是『文湖州竹派』的一大特色。

中國人一向愛竹，認爲竹子中通外直，羣居不倚，獨立不懼，正像一個品德高潔的君子，文與可喜歡畫竹，也是這種心理，他不但喜歡種竹，而且把自家的房舍都取名爲『墨君堂』、『竹塢』、『此君庵』等等，他寫的詩文之中，也可處處見竹。

文與可畫竹的名聲，一會兒就四處傳遍，有一位和尚道臻因禪僧曾說，看到文與可畫的竹，心自清涼，而且有一種涼風習習，襲向身來的感覺。由此可見文與可的竹畫意境之高。

起初，文與可對自己的墨竹，並沒有太加以重視，往往是看到精縑良紙，情不自禁，因爲技癢，忍不住一張又一張的揮毫。等到畫好了，聚在一旁觀看的客人們立刻開始動手搶，哪個本事大，就能把名畫搶到手，歡天喜地抱回家，其他的客人只有望畫興嘆了。文與可本人則笑嘻嘻的看著這場爭奪戰。

想要搶畫，還眞不簡單，況且一些有身分地位的人，也不適合伸手搶奪。於是，登門求畫的人愈來愈多。根據中國古人的規矩，請求字畫，通常要準備上好的畫紙，誠誠懇懇地上門拜託，很少是以金錢交易的，那樣顯得太庸俗了。

文與可家中的縑素愈堆愈多，即使他每天努力作畫，畫債還是還不完。有一天，文與可實在心煩極了，氣得高聲說：『我要把這些縑拿去做襪子穿了。』縑是一種質地細密的絹，可供書畫之用。

文與可要把縑拿去做襪子的事，馬上傳開了，成爲一時話柄，但是，還是不能阻止上門求畫的人，文與可只好對人說：『我墨竹一派，近在彭城，你們可前往求之。』

原來彭城附近住的是蘇東坡，文與可隨即寫了一封信和蘇東坡開玩笑道：『對不起，現在做襪子的材料都要集中到你那兒去了。』

自古道文人相輕，事實上文人相重，才可增加彼此之間的情趣。文與可和蘇東坡就是如此這般，據說，文與可畫好一幅畫之後，常常囑咐人家：『千萬不要在上面題字，一定要等蘇東坡來題贊。』這一畫一題，真是以絕代之妙跡配曠世之文筆，蘇東坡自己也頗爲得意，他形容此乃『畫者文叟，贊者蘇子，觀者如流』。

文與可不但會畫畫，而且擅長書法，無論篆、隸、行、草都有一套，他有天分，也肯下工夫，連走路都在思考如何寫得更好，有一日，他在山道上漫步，看到兩蛇相鬥，領略其韻律之美，回去之後，將兩蛇蜿蜒的動作融入書法之中。

文與可是畫竹第一把高手，他的人品也是操韻高潔，司馬光曾說他是：『高遠瀟灑如晴雲秋月，塵埃所不能到。』因此他的畫意境高遠，是中國美術史上一朵奇葩。

閱讀心得

【第410篇】

白描大師李公麟。

宋代是中國美術史上的黃金時代，名家輩出，宋初設有翰林圖畫院，以科試羅致天下畫家，並且給予官職，待遇優厚。當時的宣和畫院，乃是我國繪畫史上組織最爲完善的藝術學院。

由於朝野一致重視，宋代的畫家人數多，作品也豐富，現在我們要介紹的是在繪畫史上有特殊貢獻的李公麟。

李公麟，字伯時，安徽舒州人。宋朝皇祐元年生，熙寧三年進士，歷任南康、長坦尉，泗州錄事參軍，中書門下後省刪定官，御史檢法等官。元府三年辭官歸里，隱居於龍眠山，自稱爲龍眠居士。

他在官場上沉浮三十餘年，但他最大的成就是在繪畫方面。最早之時，李公麟是以畫馬得名。他先去仔細觀察馬，一看可以目不轉睛盯上一整天，沒有空閒與身旁的人多交談。

有一次，他去皇帝養馬的麒驥院爲駿馬寫生，不但勾出馬的外形輪廓，更表達出馬的精神所在。這時，養馬專家緊張了，他們竟然要求李公麟停筆，不要再畫，理由是：駿馬的精神魂魄都會被李公麟的畫筆吸走，眞是太可怕了。

以我們現代人的眼光看來，這種顧慮實在太誇大。其實，的確有些古

人會害怕，所以到了清朝，西洋傳入照相機，許多人不敢去拍照，也是害怕靈魂被攝影機吸走。

由於李公麟的馬畫得太逼真，還有人對他恐嚇：『你日日夜夜思念馬匹，對神駿情狀繫念不忘，當心有一天眼花落地，必入馬胎無疑。』不曉得李公麟是否擔心投胎變馬，後來，他改爲畫人物及佛像了。

李公麟繪畫最大的特色，就是他畫的人物大半不上顏色，完全用淡墨來烘染，後人稱之爲『白描』。這種白描不是一件簡單的事，筆法必須潔淨輕細，濃淡得宜，純粹用線條的濃淡、粗細、虛實、輕重、剛柔，來表達獨特的風味。

在以往，無論哪一個名家，畫人物都不免用顏色，所以古代繪畫又稱之爲丹青（即紅色、青色），李公麟這樣輕描淡寫就能表現優美的骨力，顯得格外的高雅俊逸，難怪在當時被稱爲天下絕藝。還有人說『畫莫難於白描，猶書莫難於小楷。』意思是說，繪畫之中白描最難，就好比書法之中，小楷最不容易寫得好。

李公麟雖然官位不小，卻沒有什麼官僚氣息，宣和畫譜中說他『在京師十年，不遊權貴之門，遇休沐佳日，常邀知交三五，載酒出門，訪名園林蔭，坐石臨水。』一派瀟灑自得。

但是，李公麟對他的藝術作品，還有一套嚴肅的觀點，他曾經對人說：『我作畫不只是好玩，奈何世人不察，除了吟詠性情之外，希望大家能懂畫裡勸戒的意思才好。』譬如他畫『女孝經圖』，其中的仕女容氣端莊祥雅，看了讓人肅然起敬，意思就是希望人人效法。

我們中國人一向認爲，一個畫家，假如只會畫畫兒，沒有其他藝術修養，終究只是畫匠，畫不出有意境的作品，李公麟從小沉浸在藝術氣氛之中，他不但長於繪畫，也精於鑑別。

根據宋史記載，李公麟好古博學，長於詩，而且認識許多奇奇怪怪冷僻的古字，連夏商周朝鐘鼎尊彝上刻的銘文，他都能夠一一辨別。

在紹聖末年，朝廷得到一顆古代的玉璽，滿朝文武沒有一個能夠鑑定這是屬於哪個朝代的，大家一個一個輪流觀看，卻都露出抱歉的苦笑。

李公麟取過玉璽，仔細地看了一會兒，立刻很篤定的表示：『這絕對是秦始皇之璽，而且是李斯所親篆的。』

『哦？』文武百官一齊疑惑的看著他。

李公麟清一清喉嚨，朗聲說道：『秦璽用藍田玉，以龍蚓鳥魚爲花紋。帝王受命之符，玉質堅硬，非用昆吾刀不可，此法已中絕，所以必爲李斯無疑。』

由於他的考證確鑿有力，沒有人可以提出反駁的意思，上上下下莫不佩服。哲宗因爲得到了這個寶貝，十分高興，因此下詔改年號，行典禮紀念。

李公麟多才多藝，他是中國古代插圖和連環畫專家，也長於歷史畫，他有一張『免胄圖』是膾炙人口的歷史名畫。

這幅畫的內容是郭子儀單騎退敵，敘述吐蕃勾結回紇起兵作亂，朝廷鎮壓不住，只有請出七九高齡的郭子儀，郭子儀帶領少數人馬前往，回紇發現郭令公還活著，立刻退兵。

李公麟這幅免胄圖，畫面上滾滾風塵，代表千軍萬馬，中央部分是郭子儀與回紇首領會面的情形，郭子儀頭上只包布巾，表示沒有戰意，臉上面帶笑容，雍穆大方，微微低下頭，握著對方的手，好像在告訴對方『不用下跪』。畫得非常生動，看過的人都對郭子儀有景仰之心。

當然，一個畫家要畫得好，除了天資優異，還需要後天不斷的努力，李公麟在臨終之時，躺在病床之上，還舉起手，在棉被上畫來畫去，他的家人勸阻他，他還笑著說：『習慣了，不知不覺又想畫。』可見他用功之勤。

閱讀心得

【第411篇】米芾拜石。

在中國繪畫史上，米芾佔有極爲重要的地位，他與他的兒子米友仁（人稱大米與小米）用迷幻似的點染方法，表現雲山景色煙雨雲霞，將傳統的水墨渲染技巧提升到最高峰。尤其米芾人稱米顛，瘋瘋顛顛、奇奇怪怪，更增加歷史上人們對米芾的好奇。我們先根據宋朝人留下的筆記、書信，談一談米芾有趣的遺聞軼事，然後再介紹他獨特的畫藝。

米芾，字元章，也有人稱之爲米南宮、米顛、襄陽漫士、鹿門居士、淮陽外史、淨名庵主、溪堂、無礙居士，晚年自稱爲米老。中國人的名號太多，對於後代讀歷史的人而言，實在是一大負擔。

根據已去世的方豪教授的考證，他認爲米芾不是姓米，而係西域米國胡人，到了中國，放棄本姓，改爲姓米，宋史上則記載他爲吳人。

米芾出生於宋仁宗皇祐三年，他的母親閻氏，曾經做過宋英宗皇后高氏的乳娘。後來，高后之子即位，是爲神宗，米芾受到恩蔭，擔任秘書省校書郎，又曾在長沙、杭州一帶當小官，徽宗即位，入京爲太常博士，崇寧三年，召爲書畫學博士。

從小，米芾就是個小天才，六歲讀律詩，七歲學顏眞卿書法，十歲寫碑刻。年紀大一些以後，更是博學廣記，非常用功，但是恃才傲物，舉止

甚爲奇怪，就連見了皇帝都不例外。

宋徽宗是個在政事上一塌糊塗，卻極有藝術造詣的君主，他久聞米芾的才華與瘋顛，有一天，特別在瑤林殿張起一幅二丈廣的絹圖，案頭上放置了瑪瑙硯、李廷珪墨、牙管筆、金硯匣、玉鎮紙水滴，邀請米芾當場表演。

米芾一見大樂，把袍袖往背後一繫，跳躍便捷，在絹布上落筆如雲，有如龍蛇飛動，他正興會淋漓之際，一轉頭發現徽宗在簾下觀看，脫口而呼：『奇絕陛下……』

徽宗大喜，一點也不以他那不羈的態度爲忤，更以御筆御硯賞給米芾，並任命他爲書學博士。

另一回在崇政殿，徽宗召見米芾問話，問話完畢之後，徽宗發現米芾手上還拿著奏事的劄子，就要米芾放在椅子上，米芾卻唐突的站起來，大聲地說：『皇帝叫內侍要唾盂！』

這像什麼話？宮中的人都嚇呆了。第二天，言官們立刻彈劾米芾不顧君臣體統。徽宗卻只笑笑說：『俊人不可以禮法拘束。』

米芾擔任書學博士之後，有一次，徽宗與蔡京討論書法，命擅長於此的米芾前來，在御屏上寫『周官篇』，皇家的硯台自然是上好的，米芾愛不釋手，忽地下跪：『此硯台經過臣濡染，不可以再讓陛下用臣用過的東西，不如賜給我吧。』

宋徽宗捧腹大笑不止，就把這塊硯台賜給米芾。米芾好高興，手舞足蹈謝了又謝，抱著硯台就走，也不顧墨汁淋漓，結果整件朝服一團黑色，徽宗忍不住笑道：『他的顛名，果然名不虛傳。』

米芾愛硯如命，尤其有一種叫硯山的石頭，它突起部分，屹然成山，山脚部分可以用來磨墨，米芾有次得了這麼一塊端州石，高興得抱了硯台睡了三天。

他還有一塊寶貝硯山，據說是南唐李後主的遺物，在不到一尺見方的石硯上，聳立著三十六座山峰，羣峰繚繞之中，鑿出一座平滑的硯池，米芾眞是愛死了這個玲瓏古董。

除了愛硯台，米芾愛石頭，也愛到不可思議的地步。他在安徽無爲任守之時，聽人家說，有一個怪石頭生長在河塘邊，沒人知道這塊石頭怎麼來的，而且也沒有人敢去碰這塊石頭。

米芾知道了，大有興趣，派人把這塊又醜又怪的大石頭搬來，一見之下，有如遇見知己一般，對著醜石深深一下拜道：『我想見石兄已經想了整整二十年了。』從此以後，他每次經過這塊醜石，總要禮敬有加，尊爲一聲『石丈』。

由於米芾拜石這件趣譚很快傳開，他因此而丟了官。但是米芾一點也不後悔，反而自鳴得意，還曾自寫『拜石圖』。後代的畫家也喜歡畫『米顚拜石圖』，使得米芾拜石，成爲歷史上一段佳話。

米芾守漣水時，由於當地距離產磐石出名的安徽省靈璧縣很近。這會兒米芾可得其所哉，他收藏了許許多多名貴的石頭，有時還在石頭上寫字，終日泡在這些美石之中，常常忘記處理公務。

按察使楊次公知道這件荒唐事，決定去教訓教訓米芾，他板著臉孔，疾言厲色對米芾說：『朝廷以千里郡邑交給你管理，你不汲汲於公務，終日玩弄石頭，太不像話。』

米芾一句話也不說，從左袖掏出一個石頭，嵌空玲瓏，顏色清潤，上面還有天然的峰巒洞壑哩，米芾把石頭在楊次公面前翻來轉去，然後說：『如此石頭，安得不愛？』楊次公看也不看一眼。

米芾又拿出一顆石頭，疊嶂層巒比前一個更奇巧，炫耀半天又說：『如此石頭，安得不愛？』最後，再拿出一塊如神鏤般巧妙的石頭，回頭對楊次公說：『如此石頭，安得不愛？』這時楊次公忍耐不住，一把搶過石頭對米芾說：『非獨公愛，我亦愛也。』登車而去。愛硯愛石的米芾，這一次卻被人家把石頭騙了去。

【第412篇】

米顛的潔癖。

在『米芾拜石』之中，我們說到，宋朝大畫家米芾瘋瘋顛顛，奇奇怪怪，有米顛之名，他愛石又愛硯，有一回卻不愼被騙走了一方寶硯。

原來，米芾有潔癖，他洗臉的方式很奇特，他用兩手捧著水，不斷地潑到臉上，兩手拍打，絕對不用任何毛巾拭臉。由於他愛乾淨愛到這種程度，當時人稱他爲水淫。

有一天他的好朋友周仁熟利用米芾的潔癖將了他一軍。

米芾很得意的對周仁熟誇示道：『我有一塊硯台太好了，簡直不是人間產物。』

『你雖號稱博學廣識，其實所收藏的寶物也不過是眞品贋品各佔半。』周仁熟笑著打趣。

周仁熟這麼一激，米芾非把硯台拿出來獻寶不可了。米芾回頭一看，周仁熟正拿著毛巾把手用力搓洗乾淨，一副對硯台很恭敬的樣子，米芾看在眼中，十分歡喜。

待米芾誠惶誠恐，小心翼翼地把硯台端了出來，在周仁熟面前一揚道：『怎麼樣，不錯吧？』

『嗯。』周仁熟端詳了半天說：『誠爲尤物，就是不知道發墨的效果

如何？』

於是，米芾呼侍者取水來一試，水還沒有來，周仁熟竟然吐了一些口水在硯台上，接著就磨起墨來。

米芾看呆了，也氣壞了，他指著周仁熟的鼻子道：『你、你、你這個人怎麼可以這樣？現在硯台髒了，不能再用了，送給你好了。』

據周仁熟自己記載，當初他只是開個無傷大雅的玩笑，但是米芾頗爲在意，怎麼樣也不肯再留下已經汙損的硯台了。

爲了幾滴口水，竟然把寶硯拱手讓人，這件事已經夠奇怪了。據《耆舊續聞》所載，還有更怪的哩，米芾有個女兒要出嫁要選一個女婿，他挑來挑去不中意，剛好這時在金陵有個年輕人名叫段拂，字去塵，米芾一見這個名字就開心，他笑著說：『這個人既拂矣，又去塵，眞是我的好女婿。』

後來，這位名字取對了的段拂，果然成爲米芾的乘龍快婿。

米芾不但酷愛清潔，而且衣著打扮也不同於常人，他不穿宋朝衣服，而喜歡著唐代服裝，頭戴高簷帽子，坐轎子的時候，因爲帽子太高，坐不進去，他又不放心讓侍者拿著帽子，萬一弄髒了怎麼辦。

結果，米芾想出了一個只有米芾想得出來的辦法，他乾脆把轎蓋掀了，坐露天轎子。人們就可以看見他端坐轎中，帽子露出轎外，怪模怪樣。

有一回，米芾又這般坐在轎中外出，途中遇到老友晁以道，晁以道見到這幅情景，仰天大笑，直笑得淚水直流，還是忍不住笑。

米芾很好奇，停了轎子，拉著晁以道問：『你笑什麼？』

『我啊，我笑你像鬼章。』晁以道揉著肚子道。

這鬼章乃係羌人鬼章，自宋熙寧七年起騷擾宋朝邊境，元祐三年捕獲時，用四周圍以栅欄的囚車押解入京，晁以道認爲米芾頭頂高帽端坐轎內，正似鬼章在囚車之內，所以笑個不停。

米芾聽了晁以道的解釋，覺得自己像鬼章，也跟著拍手大笑，這兩個人就站在路中央拊掌大笑不已，路人走過，都認識他是米顛，也不覺得有什麼奇怪之處。

由於米芾不能忍受丁點兒髒，他在擔任太常博士之時，洗衣太勤的結果，竟然把祭服上的藻火給洗掉了，所謂藻火就是古代繡在制服上，用爲裝飾的水藻與火焰的花紋。

因爲這個緣故，米芾遭到貶黜，他也不以爲意。

米芾的潔癖，使得他不輕易把書畫給人看，他的理由是『怕客人用手在畫上指指點點，或者衣袖上的灰塵弄髒畫面。』即使是他的好朋友蘇東坡，也很少看到米芾的畫。

假如被逼得萬不得已，米芾非把書畫示人時，他有一套清規戒律：『燈下不可看畫，醉餘酒邊亦不可看畫，卷舒不得法最爲害物。』中國畫的捲收有一定之法，米芾半點不肯放鬆，曾有人警告米芾：『你有一天會因此得罪朝中大官。』

『大官可得罪，不可改此心。』米芾斬釘截鐵的回答。

米芾有位朋友王仲御不相信他的潔癖，認爲他是故意裝出來的，爲了考驗米芾是否好潔，王仲御大擺酒宴。他爲了表示尊重米芾的好習慣，讓米芾單獨一桌，由幾個受過嚴格訓練的彪形大漢侍候斟酒上菜。

在米芾對面一桌，則有許多美麗的歌妓環繞，大吃花酒，杯盤狼藉，據說到了最後，好潔的米芾還是難耐寂寞跑到對桌。

怪異的米芾，自己並不以爲怪，有一回蘇東坡在揚州請客，在座者皆一時名士。酒過半，米芾忽然站起來道：『世人都以爲米芾爲顛，我要問東坡，我到底顛不顛？』

蘇東坡笑著回答：『吾從衆。』意思是他與衆人看法相同。

藝術家多半有些奇特，古今中外的大藝術家也流傳著許多異事。但是我們要弄清楚一點，米芾能夠名留青史，主要是因爲他的畫，不是因爲他的怪，他的畫古今獨步，他的潔癖並不難效法，一個藝術家的誕生需要天資及努力，缺一不可。有些人不是藝術家的料，故意學藝術家的不修邊幅，狂放不羈，實在是畫虎不成反類犬。

閱讀心得

【第413篇】

牧牛圖的仿冒品。

前兩篇，我們介紹了宋朝大畫家米芾的一些傳奇。米芾在中國繪畫史上最大的貢獻，應該是他首創的米氏雲山的畫法。

在唐朝及北宋初期，中國山水畫之中，峰巒、林木、煙雨的表現，主要是用線條的勾勒。米芾融合了前人的畫法，尤其他多年對鎮江一帶氣候溫濕，雲氣彌漫，崗嶺出沒，林樹隱現的觀察，用潑墨、積墨、焦墨的方式，烘染在紙上，形成山水奇觀，變態萬千，這種迷迷茫茫的雲山，人們稱之為『米氏雲山』。

這套米氏雲山的工夫，米芾的兒子米友仁也十分在行。董其昌曾帶著一幅小米——米友仁的畫去遊洞庭湖，當董其昌在日暮之際，捲簾看畫，一看之下，董其昌楞住了，他看不出一片斜陽雲天之中，哪兒是風光，哪兒是畫跡。

米芾多才多藝，會畫畫、會寫字，著有畫史、書史等藝術理論，而且他還是有名的收藏家。他對於古代的書畫菁英，不但耗盡巨金，也耗盡心血。

有一次米芾與蔡攸在小舟之上，一同欣賞王衍的書法，米芾看著看著，竟然把這幅字捲了起來，往懷中一塞就準備跳水。蔡攸嚇壞了，趕忙拉住

米芾連聲問：『什麼事想不開？』

『我平生收藏的字畫，沒有這麼好的，不如死掉算了。』米芾頹然道。

蔡攸莫可奈何，只好把這幅字慷慨地送給米芾。

米芾只要聽到或見到名畫，總要不計一切，不擇手段弄到手，無論多麼昂貴的出價，就是典當衣服也非買下來不可，有些藝術品不能買到的，米芾便用其他藝術品來換，只要他認爲有價值，十幾件換一件是常有的事。他的看法是『人生適目之事，看久即厭，常常換些新的東西，才是通達的人。』

王羲之父子的字帖，一向是米芾最欣賞的寶物，有一次，他看到了劉季孫收藏的王羲之的『送梨帖』，左看右看，愛得不得了。所以他大方的開出：歐陽詢眞蹟二帖、王維雪圖六幅、硯山一枚、玉珊瑚一枚等十一件稀有的寶貝，交換王羲之一共只有二十四個字的字帖。

交易談攏了，米芾的峴山卻不幸被人借去玩兒了，等米芾取回硯山，劉季孫已經過世，劉的兒子把字帖賣給別人了。米芾費了半天的勁兒，空歡喜一場，難過極了。

還有一次，米芾在關杞那兒，看到唐朝虞世南的枕臥帖，羨慕萬分。關杞去世之後，米芾與關杞的後輩關長源要求交換。

關長源說：『要用陸探微的獅子圖交換。』

米芾立刻答應了。

『不過，這畫不足以交換虞世南的帖，還要你桌上的盈尺珠砂。』

米芾又趕快把盈尺硃砂拿來。

沒有想到，關長源竟然說：『我仔細想了又想，用這兩樣東西來交換，都有愧於虞世南的名帖，非要再加上你的頭才行。』

這樣的交易當然談不下去了，米芾就是再瘋狂，也不能拿自己的腦袋來交換，頗覺掃興之至。

當然，米芾對收藏來的寶貝，主要是爲了臨摹之用，與一般收藏家大不相同，米友仁曾經形容他父親米芾把收藏的晉唐眞蹟，整日放在几案上，手不釋筆加以臨摹，到了晚上，必定妥善地鎖在小盒子中，把小盒子放在枕頭下面才睡得著覺，可見米芾多麼好學不倦。

或許正因爲如此，米芾十分自負，他認爲收藏藝術品的有兩種人，一種是眞心愛好藝術的鑑賞家，像他自己之類的，還有一種是附庸風雅的好事者，也是米芾喜歡嘲笑捉弄的對象。不論是哪一種人，把好畫好字借給米芾都得當心被他掉包，而且由於他是行家，不但對古書畫的筆、墨、紙、絹、款、印、題跋極有研究，甚且連畫面的水漬或髒汙的痕跡，他都有辦法一一仿製，很少被原主看破。

有次他在甘露寺的淨名齋，邀來數位朋友，每人都拿出自己平日珍藏的寶物互相欣賞，其中以寫《夢溪筆談》出名的沈括，順手掏出一件王獻之（王羲之的兒子）的法帖，米芾大爲興奮，因爲這是他向沈括借了老半天，沈括硬是不肯借來一看的字帖。

哪知一看之下，米芾啼笑皆非，原來這是他老兄仿製的，而且還是他當年習帖的作品，被好事的鄰居拿了去，裝裱成軸，流傳出去，不料經過多年之後，反而成爲米芾借不出來的『古物』了。米芾不打自招以後，沈括臉色陰沉沉的，『米老狡獪』之名不脛而走。

楊次翁守丹陽時，存心以此戲謔米芾，他請米芾吃飯，指著一盤菜說：『這是好河豚，你嘗一嘗。』米芾怕死，不敢下筷子，楊次翁笑著說：『別怕，這是贗品。』

擅長於僞作的米芾，有一次卻栽了跟斗，在漣水之時，有人出售戴嵩（晚唐名畫家）的牧牛圖，米芾藉口留下來觀賞，一面又重施故技把假畫還給物主，不料物主馬上拆穿了米芾的詭計，他叫嚷道：『不對，不對，原來的那幅畫，牛的眼睛裡有牧童的影子。』米芾這才不甘不願把畫交出。

在中國繪畫史上，擅作假畫是畫家的風流韻事，當然也有人說，只注重臨摹古人，不注重創造正是中國繪畫停滯不進步之原因。總之，我們固然不能用現代的觀念指責古人造假畫，但是在今天社會，若還有畫家故意做假騙人，反而沾沾自喜，那就是既無聊又可恥了。

閱讀心得

【第414篇】周邦彥與李師師。

宋朝是詞的天下，假如說蘇東坡是宋詞之中豪放的代表，那麼，周邦彥可稱得上是格律詞派的代表人物，宋朝人樓鑰形容周邦彥是『學道退然，委順知命，望之如木雞』的山人高士。但是我們看周邦彥留下的一百九十多首詞，會發現他浪漫得很，一點兒也不『木雞』。

周邦彥，字美成，浙江錢塘人，優美的湖光山色造就了這位才子，由於他自小放蕩，宋史上說他是『不為州里推重』。但是，周邦彥的書倒是讀了不少，精通文學與史學。

他二十四歲之時，北上汴京，在太學讀了四、五年書，元豐年間獻了一篇『汴都賦』得到神宗皇帝的讚賞，召爲太學正，請假回鄉里，在蘇州認識名妓楚雲，周邦彥精研音律，楚雲雖然不認識字，但是卻擅長於唱詞，兩人有一段極爲美麗的戀史。不過，周邦彥最爲後世津津樂道的，應該算是他與李師師的故事。

李師師是宋朝汴京的第一名妓，美得無可比擬，而且才貌雙全。秦觀秦少游曾有一首『生查子』形容李師師——『遠山眉黛長，細柳腰肢裊，粧罷立春風，一笑千金少，說與青樓道，看遍潁川花，不似師師好。』

周邦彥與李師師兩人情投意合，李師師對周邦彥的才華極爲傾倒，可

惜半途殺出個程咬金，而且這個程咬金非同凡人，竟然是宋朝的天子——宋徽宗。

宋徽宗的即位，其中還有一段故事：

宋哲宗十歲即位，在他祖母高太皇太后的垂簾聽政之下，做了八年的傀儡皇帝，等到他自己當家做主，做了不到八年，享國十五年，年方二十五歲竟然一命嗚呼。

哲宗沒有兒子，同時他又年輕，誰會想到這麼早就去世，因此事先也沒有預立太子，他這一死，大家都慌了手腳。

向太后搥胸頓足痛哭一陣之後，召集羣臣商量大事。

宰相章惇一向跋扈，首先朗聲建議：『當然該立大行皇帝同母胞弟簡王。』

簡王趙似是個個性懦弱的小王，年方十六歲，假如他當了皇帝，章惇便可爲所欲爲，把幼主控制在手上。向太后一眼看穿章惇的居心，搖搖頭不肯答應，她說：『老身無子，諸王都是神宗的庶子，不必有所分別。』

章惇又趕緊提出：『申王居長當立。』申王趙佖瞎了一眼，不太適合做天子，向太后又不能答應，她躊躇了半天道：『輪下來該是端王。』

『端王輕佻，不可君臨天下。』章惇立表反對。向太后緩緩地說：『先帝（神宗）曾經說過，端王有福有壽，既仁且孝，君臨天下有何不可？』章惇雖然有私心，而且沒有人臣之禮，不過他說端王輕佻，這話倒是不錯的。這端王乃是神宗第十一子，聰明俊俏，琴棋書畫、踢毬打彈、品竹調絲、吹彈歌舞，無一不精，無一不通，是走馬章台，風流自賞，典型的公子哥兒，這就是赫赫有名的宋徽宗。

宋徽宗在做端王的時代，曾經微服出遊，到錄事巷（錄事即妓女）中拜訪風姿綽約的李師師，他登上皇帝寶座之後，雖然後宮有三千粉黛，看來看去就沒有一個可與師師相比，因此，這位風流皇帝竟然再度出現錄事巷中。

有一天，宋徽宗來訪，碰巧周邦彥正在李師師房中，為了避免尷尬，周邦彥躲入床下，這一回，徽宗帶來一顆江南入貢的鮮橙，李師師捧來一碟白白細細的鹽，用刀剖開橙子，兩人一塊享用。

然後，徽宗親自去調香爐，他抓起一顆一顆的香丸，投入雕著金狻猊的爐中，青煙漸起，整個房間彌漫著一縷甜甜的香味。

具有音樂修養的徽宗，自懷中掏出一個玉笙，悠悠然吹了起來，兩人溫存了半天，忽然聽到鼕鼕敲鼓聲，師師低聲詢問道：『今夜臨幸哪個宮？該走了吧，已經三更了，霜又濃，馬蹄又滑，路上恐怕都沒人了。』

宋徽宗戀戀不捨的離去，躲在床下的情敵周邦彥，心中頗不是滋味，因而把這段經過寫下來：

『并刀如水，吳鹽勝雪，纖指破新橙。錦幄初溫，獸香不斷，相對坐調笙。低聲問：向誰行宿？城上已三更。馬滑霜濃，不如休去，直是少人行！』

不一會兒，這一首『少年遊』唱遍了整個汴京城，最後，連徽宗本人都聽到，勃然大怒，以『職事廢弛，不堪再用』的理由，將周邦彥予以撤職，押貶出京。李師師一路相送，淚眼盈盈，周邦彥感慨沉鬱之際，又寫了一首『蘭陵王』道別。

李師師回到錄事巷，偏不湊巧，徽宗又來了，而且等了老半天。徽宗先是很生氣，聽完李師師唱罷『蘭陵王』，又起愛才之心，便又赦回周邦彥，官復原職。

後來李師師在宣和六年，被冊為李明妃。金兵至，師師被廢為庶人，流落湖湘，為商人所得，可謂紅顏薄命。

周邦彥，是精通音樂的天才，他從事審音調律的工作，使得宋詞律令嚴整，他寫詞的方式與工筆畫一般，一筆一畫的勾勒，一字一字的刻畫，一句一句的鍛鍊，形成他特有的精巧工麗的古典作風，可稱之爲格律派的古典詞的建立者，不過他最為後人所熟知的，大概是與李師師的這一段韻事。

閱讀心得

【第415篇】水滸傳中的宋徽宗。

在上一篇〈周邦彥與李師師〉之中，我們介紹了徽宗即位的經過，以及這一位風流皇帝到錄事巷（錄事即妓女，這是因爲妓女掌管著酒令，所以稱之爲錄事，錄事巷是相當於唐朝長安平康坊之類的地方）拜訪一代名妓李師師的一段韻事。

由此可知，宋徽宗乃是一個不折不扣的浪子皇帝。提起宋徽宗，後代都熟知他自創的瘦金體書法，除了寫得一手筆勢勁逸的好字，徽宗具有極高的藝術修養，高度的文學天才。但是在另外一方面，徽宗荒於政事，帶領貴族追求享樂的狂歡，造成靖康之難，北宋滅亡。這麼一個關鍵性、又帶有戲劇性的人物，值得我們仔仔細細加以介紹。

哲宗皇帝在二十五歲英年去世後，身後無子，只有從神宗諸庶子之中挑選，挨著次序算來，應該是申王做皇帝，但是，申王瞎了一個眼睛，不太好看，於是輪到端王趙佶，是爲徽宗。

據說，徽宗的父親神宗在元豐五年的端午節，前往收藏圖書文物的秘書省，忽然心血來潮，要求管事的拿出南唐李後主的畫像來看。

神宗瞇著眼睛，端詳了老半天，望著李後主英俊儒雅的面貌，深深地嘆了一口氣：『怎麼看，也不似一個短命的君主啊。』

正在此時，後宮傳來消息，說是欽慈皇后陳氏產下一子。由於五月五日是屈原投江的日子，因此自古相傳，五月五日誕生的人不吉利，爲了沖沖喜，特別把這個新生的皇子命名爲趙佶，拆開來是『人』、『吉』二字。同時將趙佶的生日改爲十月十日。

民間相傳，端王趙佶是李後主轉世，當然這是私下討論，沒有人敢公開的說，李後主畢竟是個亡國之君。

如今端王做了天子——宋徽宗，他倒是頗爲心儀李後主，事實上，徽宗妙解音律，善於書畫，凡是文人雅士一切愛好，他無不心儀，的確有幾分類似李後主。

至於一般後代的人，對徽宗皇帝的了解，多半來自施耐庵所寫的文學名著《水滸傳》。水滸傳是根據南宋話本與元人雜劇而來，很能反映當時某些史實。在水滸傳第二回王教頭私走延安府之中，有一段很精采動人的描寫，敘述『東京開封府汴梁宣武軍有一個浮浪破落戶弟子，姓高，排行老二，自小不成家業，只好刺槍使棒，踢得好氣毬，京師人都叫他高俅。』

有一次，小王都太尉取出玉龍筆架、鎮紙玉獅子要高俅拿去給端王。『見端王頭戴軟紗唐巾，身穿紫色龍袍，腰繫文武雙穗條，把繡龍袍前襟拽紮起，揣在縧兒邊，只穿一雙嵌金線飛鳳靴，三五個小黃門相伴蹴氣毬，高俅不敢過去衝撞，立在從人背後伺候。也是高俅合該發跡，時運到來，那個氣毬騰地起來，端王接個不著，向人叢裡直滾到高俅身邊，那高俅見氣毬來，也是一時膽量，使個鴛鴦拐，踢還端王，端王見了大喜。』這段故事在宋人《揮麈錄》有載，高俅乃確有其人其事。

在水滸傳的故事之中，端王榮登皇帝寶座之後，高俅搖身一變成爲高太尉。高太尉收了一個乾兒子高衙內，也是一個小混混，這個小混混看上了林冲貌美的妻子，設下毒計讓林冲吃上官司，走投無路，最後落草爲寇，逼上梁山當強盜去了。

水滸的故事當然是虛構的，不過，宋徽宗喜歡放鷹買馬，踏鞠打毬，那可是一點兒也假不了。

還有，水滸傳中大家所熟悉的蔡京乃徽宗最信任的臣子，那可是確有其人，婦孺皆知。從南宋以來，瓦子、勾欄裡面的說書人就把蔡京禍國殃民講了又講，直講得台下聽眾火冒三丈。所謂瓦子是古代的遊樂場，勾欄即棚子為演出場所，規模大的瓦子裡設有許多的勾欄。

水滸傳第十六回『楊志押送金銀擔，吳用智取生辰綱』乃是梁山泊一百零八條好漢聚義的序曲，生辰是生日，綱是指把貨物集合在一起，結成一大幫同行之意。

這一回是敘述蔡京生辰，他的女婿梁世傑花了十萬貫金錢，收買金珠寶貝，送給蔡京當賀禮。在宋朝，錢幣不能統一，缺乏信用，所以梁世傑大費周章，安排了十一擔金珠寶貝。

由於梁中書前一年也費了十萬貫收買金珠寶貝上京，但是半路遭劫，這一回特派青面獸楊志押運。

另外一方面智多星吳用、托搭天王晁蓋打聽到這一筆不義之財，準備劫來一用。

青面獸楊志爲小心謹愼，挑了十一個壯健的廂禁軍，都打扮成脚夫模樣上路，『正是六月初四時節，一輪紅日當天，沒半點雲彩，石頭上熱了脚疼。』忽然遠遠走來賣酒漢子，『衆軍漢見了，心內癢起來，』楊志阻止不了，『只見這十五個人，頭重脚輕，一個個面面相覷，都軟倒。那七個客人（由吳用率領）從松樹林裡推出這七輛江州車兒，把車子上棗子都裝在車子內，遮蓋好了，一直望黃泥岡下推去了。』

後來，破了案，晁蓋、吳用等被逼上梁山，梁山泊聚義可說是劫取蔡京這筆不義之財而起。《水滸傳》固然是小說家虛構，但是蔡京貪贓枉法卻是事實。『智取生辰綱』這一段在南宋之初已在民間流傳了，有興趣的讀者不妨買本《水滸傳》來看一看，小說與歷史互相參照，更能了解當時社會民情。

閱讀心得

【第416篇】

元祐黨人碑。

上一篇，我們談到宋徽宗是一位天才型的藝術家，但是在政治方面卻是一個荒淫無能的君主。他好大喜功，窮奢極慾，對於政治見解毫無主宰，缺乏判斷力，許多措施經常是反反覆覆。北宋因此而滅亡，而且這段期間可說是北宋九朝之中，最爲黑暗的時代。我們先談宋徽宗在政治上的表現，再講他藝術方面的故事，可以對宋徽宗這個人有完整的了解。

宋哲宗去世，徽宗即位，向太后聽政。向太后的心理是偏向舊黨，可是向太后臨朝僅僅七個月即歸政徽宗，再過了五個月，向太后便去世，徽宗親政。

宋徽宗初上任，倒也表現了積極求治，他做的第一件事，首先罷斥了反對他做皇帝的章惇。

哲宗暴斃之時，宮中亂成一團糟，有人想到向太后要立端王趙佶，章惇立刻反對道：『端王輕佻，不可君臨天下。』

新皇尚未上任，章惇就得罪了徽宗，當然官位不保。章惇也的確不是什麼好東西。在當時，京師之中流行一句歌謠『大惇小惇，殃及子孫』。（大惇即章惇，小惇是指御史中丞安惇。）

在這個時候，國家的命脈已經逐漸腐蝕削弱，有個性、有正義、有才

華的君子司馬光、范仲淹、歐陽修的時代遠了，正人君子被下獄、流放、老死、被殺。在徽宗身旁，不再有正直、博學、大無畏的學者。最主要的原因還是忠言逆耳，徽宗最喜歡的臣子是蔡京。

蔡京是王安石的女婿蔡汴的哥哥，由於這一層關係，蔡京也是王安石變法之中的重要人物，曾經做到龍圖閣待制，掌管開封府。

王安石變法失敗，司馬光上台，蔡京馬上搖身一變，成爲舊黨的擁護者。在開封府中，蔡京首先響應司馬光廢差役法，恢復舊法。在短短五天之中，蔡京硬是把舊的差役法重新實施，不容許下面有絲毫的反抗。然後飛奔到白虎堂親自向司馬光表功。

司馬光老先生看了十分歡喜，連連讚美蔡京：『假使人人都奉公守法與你一般，天下還有什麼事行不通的呢。』

於是，蔡京在司馬光的舊黨之中，又輕易混得了一席之地。

等到高太后去世，宋哲宗親政，章惇當上宰相，指責高太后等人是老姦擅國，甚且要挖司馬光的墳墓。蔡京『識時務者爲俊傑』，又成爲新黨的忠實信徒了。官拜戶部尚書，而且對章惇說：『新法只要拿起來做就好了，用不著討論研究。』蔡京在開封府五天之中廢除的新的差役法，馬上再拿出來用。

蔡京這個人變化無常，反正一句話，新黨得勢，他就向新黨靠攏，舊黨再起，他趕快又投向舊黨，是個沒有立場原則的小人。

徽宗即位後，章惇下台一鞠躬，蔡京也被御史給參了一本，削職杭州。

小人永遠是會利用機會的，徽宗寵信一個宦官，名叫童貫，性情巧媚，最善於揣摹徽宗的心意，極得徽宗的歡喜。這一回，童貫奉了御旨來到杭州一帶，爲徽宗搜集書畫奇巧。

在童貫逗留在杭州一個多月之中，蔡京不分晝夜與童貫泡在一起，盡一切力量搜羅畫屏障扇之類的玩意，當然也少不了打點打點童貫。

童貫回到京城，捧出在江南搜集的寶貝，龍顏大悅，童貫便大大爲蔡京吹噓，誇他有多能幹，宦官及宮妾受了蔡京的好處，也聯合起來讚美蔡京。於是崇寧元年七月，徽宗正式任命蔡京爲宰相，下詔之日，特別賜蔡京坐延和殿問話，他對蔡京說：『神宗創法立制，先帝繼之，兩次遭到變更，國是未定，朕想要繼承父兄志向，卿有何意見？』

蔡京立刻叩首謝恩：『臣敢不盡死！』

他的方法是，把司馬光等一百二十人列爲黑名單，稱之爲『奸黨』，然後請宋徽宗用他那著名的瘦金體書法親自寫塊石碑，把石碑立在端禮門外，號稱爲『黨人碑』，同時規定，凡是奸黨的子孫，終身禁錮，不得爲官，宗室也不得與奸黨子孫爲婚姻，成爲繼東漢之後，歷史上大規模的黨錮之禍。

這些所謂的『奸黨』，都是人們心目中崇敬的人物，尤其是寫《資治通鑑》的司馬光更為全國所尊敬，民衆對此頗不諒解，再說，蔡京曾經火燒眉毛般去巴結司馬光，如今又鞭屍司馬光，未免太過分了，因此，據說長安有個石工，名叫安民，拒絕爲『黨人碑』鐫刻，並且哭泣道：『奉差命既不能辭，乞求在石末不要寫上安民二字。』

到了崇寧五年正月裡，突然發現彗星與太白星起了變化。古人是非常迷信的，徽宗嚇得趕快躲到後殿中，下詔讓臣子直言，看看到底做錯了什麼事，使得天象有變。

這時，遂有中書侍郎劉遠上書，認爲這是黨錮之禍帶來的天譴。徽宗很害怕，連夜命令太監把『黨人碑』給毀了，並且解除黨錮，罷行所有新法，同時免了蔡京的職，用趙挺之爲相。這趙挺之也是歷史上有名之人，他的兒子趙明誠娶的就是人人都知道的李清照。

閱讀心得

【第417篇】

宋徽宗與花石綱。

在前面〈元祐黨人碑〉之中，我們說到，崇寧五年間，宋徽宗發現彗星與太白星晝見之變，心裡很害怕。下令詔求臣下直言，看看因為什麼原因，上天要處罰宋徽宗。中書侍郎劉逵上書，認為是黨錮之禍，徽宗下令拆除『黨人碑』石刻，並且免去蔡京的相職，改以趙挺之為相。

蔡京巧言令色，這套拍馬屁的本領，一般人是趕不上的。徽宗心中對蔡京十分想念。再加上蔡京又不斷託人說情，於是，徽宗在大觀元年正月，又以蔡京爲相，並且重用蔡京長子蔡攸爲龍圖閣學士兼侍讀。

蔡京這個投機份子，曾經從變法到反變法，再回反變法又回到變法，三起三落，大風大浪波濤都經歷過，玩弄政治的卑劣手段日益精進，如今位居宰相，他所採取的方法是，一方面迎合徽宗的心意，一方面排斥異己，擴大力量。

宋朝的官吏本來冗濫，到了徽宗時代，蔡京爲了從中圖利，巧立名目，官吏更多更濫，什麼留後、觀察使、遠郡刺史，多達數千人，凡是國用、商旅、鹽澤、賦調……每一部門，竟然用三個主管，同時還增加專門爲侍候天子設置的應奉司、御前生活所、營繕所、蘇杭造作局等以前沒有的機關。

同時，蔡京又更改鹽鈔法，凡是舊的鈔票都不許使用，富商巨賈本來手上有數十萬緡，一夜之間全成廢紙，淪爲乞丐叫化子，急得投水、上吊的都有。

在當時，蔡京除了淆亂政制，引用羣奸，把政治弄得烏煙瘴氣之外，最最擾民的該算是花石綱。

什麼叫做花石綱呢？花是花木，石是石頭，綱指的是貨物集合在一塊，結成一大幫同行之意。當然，所謂花石，不只是花木石頭，也不是普普通通的花木石頭，而是泛指一切賞玩之器。

在〈周邦彥與李師師〉篇中，我們說過，章惇曾指端王『輕佻』，在徽宗做端王的時代，他是一身紈袴之氣，當上皇帝之後，這種公子哥兒的氣息更加顯著了。

徽宗一即位，馬上派太監童貫去江南採辦牙、角、犀、玉、金、銀、竹、籐、字、畫，並且招募雕工、織繡能手，每天有數千工人晝夜不停爲皇上趕工，蔡京就是利用這個機會，與童貫狼狽爲奸，以後才當上宰相。因此，他深深了解，天子就喜歡這個調調兒，非要好好加以利用不可。

當蔡京被貶杭州之時，曾經想在當地建一座僧寺閣。廟裡的和尚對蔡京說：『這一定要朱冲出面才有辦法召集郡人化緣。』

於是，蔡京前往拜訪朱冲，希望他能號召鄉人，共同把僧寺閣造好。

誰知道，朱冲一拍胸脯道：『這點兒小事，何必費心，我一人獨挑就可以了。』

本來，蔡京還以爲朱冲說大話，沒有料到，過了幾天，朱冲邀請蔡京前往寺廟建地，赫！數千條上好大木整整齊齊排列在庭下。蔡京一面檢視，一面舉起拇指，由衷的誇道：『你眞行，又快又好。』從此，蔡京對朱冲留下深刻的印象，準備日後好好利用，而朱冲呢，看上蔡京日後有辦法，也樂得大大方方送上一筆。

這朱冲者，乃是蘇州人氏，性情狡獪，頗有幾分小聰明，家裡頭本來很窮，在富人之家當奴才，由於性格梗悍，犯了過，不肯承認，被主人一腳給踢了出來，向人乞貸爲主。

後來，不知怎麼，時來運轉，遇上貴人相助，不但得到許多金錢，而且拿到一本古傳的方書。於是朱冲開起藥店來了。

這本藥方大概是相當靈驗，病人一服見效，一傳十，十傳百，每天上門抓藥的不計其數，於是朱冲就漸漸富了起來。

朱冲成了暴發戶之後，他的野心很大，除了繼續賣藥之外，他又花錢修園子，交結遊客，朱冲的大名一天比一天響亮。

蔡京結交童貫，當上宰相，奉旨入京以前，他拉了朱冲和朱冲的寶貝兒子朱勔一塊前往，並且把這對父子的名字都放在童貫的軍籍之中，都搖身一變當上了官。

由於徽宗對花石十分有興趣，蔡京又頗能仰承意旨，他就暗示朱冲父子，盡一切力量把江、浙一帶的珍異之物呈獻給徽宗，保證有得不完的好處。

就這樣，朱勔當上了蘇杭奉應局的總辦，這個奉應局只有一個任務——爲皇帝採辦花石，大的高達數丈，要用大船托運，一千名以上船夫揹縴，歷時數月之久，方能抵達京師的太湖石；小的小到玲瓏可愛，一個衣袖之中可以一次容納數百個小采石，以及浙江的奇竹、異花，福建、廣東的荔枝、龍眼、蜜柑、蜂蜜，海南島的椰子，湖南的文竹、湘妃竹，四川的佳果，登萊的文石，武康奇石都在搜羅之列。

面對著千奇百怪的花石綱，宋徽宗享盡了人生的福氣，如果不是貴爲天子，那兒可能要什麼，有什麼。宋徽宗正在滿心歡喜，宋朝卻埋下了層層的陰影。

閱讀心得

【第418篇】

萬歲山落成。

在上篇提到，蔡京爲了迎合宋徽宗，任用世居蘇州的豪強朱沖之子——朱勔，專門爲皇帝採辦花石。

朱勔的腦筋轉得很快，他除了狐假虎威，逼著地方官吏配合之外，並且深入民家探求。只要誰家有一石一木，稍堪觀賞，那這家人就要遭殃了。

首先，朱勔主持的奉應局，會派出幾個孔武有力、面貌兇惡的健卒到百姓家中，用黃表把石木封了起來，並且鄭重其事的宣佈：『這些東西，從今以後都是屬於皇帝的物件，你們要小心守護。萬一有個差池，一切後果要自行負責。』

然後，這些健卒大模大樣的離開了。那一家中的百姓，爲了避免對皇上犯『大不敬之罪』，自此以後，非要擔心害怕保護寶物不可。

既然這些寶物有幸加上了黃表，成爲御用之物，身價不同了。所以御物不能從家中正門搬出，那樣表示對皇上的大不恭敬；非要拆了房屋，毀了牆壁，方許搬走。要是那一個百姓不知死活，哭哭啼啼，攔著健卒，捨不得拆毀祖宗留下的百年老屋，那麼，馬上會派上一個大逆不敬的罪名。

這種強取暴奪的政策，使得一般大眾敢怒不敢言。於是，誰家之中若有一石一木，值得把玩，立刻會被認爲是『不祥之物』，自己早些丟棄，免

得召來不幸。

民間為了區區花石，傾家蕩產者，不計其數。而有些花草嬌嫩，貼上黃表，等候入京之前，萬一不慎壞死，要賠償巨金。有些人家沒有足夠的錢財賠償，只有被迫鬻賣子女，到了這種地步，眞有點像是打家劫舍了。

採辦花石的費用充裕，動輒幾十萬、幾百萬，毫不吝惜。這些採辦的花石，用大大小小的船隻搬運，船尾連著船頭。整條淮河、汴河，上上下下千里之間，全部都是裝運花石的船隻，稱之為『花石綱』。

花石上岸之後，更要調集千萬民夫去搬運，途中若是遇到城門狹窄，石頭過不去，沒有第二句話，拆了再說。甚且一個村鎮完全夷平，都是常見之事。可憐的人民不但要背負重石，往往為了一塊長相奇特巨石，不幸墜落懸崖是常有的事。當然，沿路上負責採運的官吏，敲詐勒索，更是無所不用其極。

據說，宋徽宗在嘖嘖稱奇、把玩欣賞美石時，也曾順口問蔡京：『這會不會過分勞民傷財？』

『怎麼會呢？陛下又不像一般君主沉迷聲色犬馬，皇上所喜愛的，乃是一般人民不要的花石樹木。一般人沒有藝術修養，根本不會欣賞。』蔡京趕緊解釋。

宋徽宗一聽此言，大爲寬心。他沒有深一層去想，花石樹木從四方運來，談何容易。這固然是沒有體恤人民之心，也是自小生長在深宮，缺乏用腦筋思索問題的結果。

總而言之，爲了這些像蔡京形容『人家不要』的花石，不知害得多少人家破人亡。我們讀『水滸傳』，其中官逼民反，造成逼上梁山的人間慘事，確實如此。

這些奇木異石收集到京師之後，擺在那兒呢？於是又爲此大興土木，盛修宮室。其中工程最爲艱鉅、修築時間最久、動員人力最多的，該算是萬歲山。自政和七年到宣和四年，一共修了整整五年之久。

萬歲山修成之後，改了一個名叫艮嶽，廣達十多里。雖然是人工修建的，但是氣勢宏偉，其間有無數的佳花名木，怪石巖壑，幽勝有如天成。山中修建的殿臺樓閣，更是無比壯麗。

由於徽宗在端王時代，就喜歡馴養禽獸，所以艮嶽落成以後，不但建有城關，有泉澗，有洲橋，竟然還有森林，森林之中有許多禽獸。到秋風夜靜之時，禽獸之聲，響遍四周，聽得人毛骨悚然。一些個有識之士，認爲此乃國家不祥之兆。

宦官童貫，爲了討好徽宗，找來了一個市井浪子名叫薛翁，薛翁擅長於馴馬。他到艮嶽之後，對童貫說：『一些個普通的把戲，陛下見多識廣，早就看膩了，待我想些新鮮的玩意兒，包準皇帝看了龍顏大悅。』於是，薛翁在艮嶽之中，積極展開訓練計畫。童貫也傳令下去，不計任何代價，全力支援薛翁。

薛翁先仿造一個皇帝的鑾輿黃蓋，即皇帝的座車，又準備了與皇帝衛士相同打扮的假衛士，在山中往來行走。鳥禽都是怕人類的，牠們先前看到盛大的黃蓋鑾輿，當然拍著翅膀，一驚而散。接著，這些珍禽異鳥發現，凡是黃蓋鑾輿所到之處，有人會撒下大量鳥雀飼料，而且可以讓鳥雀們安心享用，不會受到傷害。久而久之，鳥兒對黃蓋鑾輿，不但沒有害怕之心，更有一份親切感。這是心理學上的制約反應。這好比歐洲的鴿子都不怕人，遊客都可以餵牠們一樣。這些鴿子要到了中國，怕早成爲餐桌上的油淋乳鴿了。

好，薛翁訓練完畢之後，有一次，當宋徽宗的御輦（皇家的御車）正在行走，忽然之間，飛集了成千上萬的珍禽異鳥，圍著徽宗的黃蓋，盤旋鳴叫，歌聲嘹亮，宛如進入仙境。徽宗驚喜萬分，薛翁俯跪道左，高聲地歡呼『萬歲駕臨，萬歲山瑞禽迎駕。』

徽宗高興到了極點，立刻封薛翁官位，朱勔也因花石綱有功，陞爲防禦使。一個花石綱，一個萬歲山，已爲北宋朝廷埋下了炸彈。

閱讀心得

【第419篇】

蔡京翻修延福宮。

宋徽宗耗費鉅資，修建萬歲山，更有那薛翁事先排練珍禽異鳥迎接皇上，可見得當時臣子是如何巴結徽宗。

除了萬歲山之外，宋徽宗還有一個好玩的地方——延福宮。延福宮原是舊有的宮殿，蔡京爲了配合民間搜集而來的花石綱，決定大大翻修，並且加以擴充。

蔡京指派童貫、楊戩等五人負責監工，讓五個人比賽，看看那一個宮殿最富麗、最華美。於是這五個人使出渾身解數，各有各的圖樣，各有各的巧妙，而且視爲最高機密。花樣翻新，各異其趣。

除了殿閣亭臺之外，延福宮中鑿池爲海，疏泉爲湖。所有的人工池塘、峯巒，務必求其自然，渾然天成。

另外，有鶴莊，有鹿園，種種珍貴禽獸成千成萬，可以稱得上是大規模的動物園。

可是完工之後，宋徽宗一看，搖搖頭不滿意。他認爲延福宮美則美矣，不夠自然，缺少人情味。於是，爲了配合宋徽宗的藝術修養，又重新佈置，添加了村居、野店、茶樓、酒肆，有一種反璞歸眞、古拙動人的情趣。同時，由一些宮女打扮成茶孃、酒保。徽宗扮做客人去杏花村喝酒，甚且，

偶爾扮一回乞丐，向人伸手討錢，也覺得挺有意思。

爲了普天同慶，宋徽宗下令，每年冬至開始，到了第二年上元節，在這段期間，把汴京城裏的市民與商店搬到宮內，夾道陳列，飲酒賭博，燃放鞭炮，盡情歡樂。

宋徽宗又想到，萬一元宵節那天，天公不作美，下起雨來，豈不掃興。所以，每年到了冬至，就開始大放花燈，從東華門以北，解除宵禁，一直放燈到正月十五日，元宵節當天爲止。這種透支的享樂，稱之爲『先賞』。

據傳說：有一年元宵夜，歌舞狂歡，通宵達旦，宋徽宗一時興起，傳旨下去，凡是看花燈的百姓，不論男女老少，人人可獲得一盃御賜的美酒。在這燈火照天，人物嘈雜，一片鬧哄哄之中，有位年輕少婦，偷偷把喝過酒的金杯藏在懷裏，準備帶回去做紀念品。

結果，這個順手牽羊的少婦給逮著了，人贓俱獲被送到宋徽宗跟前。徽宗問她，爲什麼偷金杯？

這位少婦稍稍沉思，落落大方唸了一首『鷓鴣天』的詞，最後兩句是『歸家恐被翁姑責，竊取金杯作照憑。』原來小媳婦兒怕回家晚了，被公公婆婆責備，所以拿了金杯作憑據。

宋徽宗本爲文人雅士，見此少婦言談不俗，還能吟上兩句，不但不加追究，更把金杯送給她，又派衛士一路護送回家。

當然，這個時候的汴京，也可以稱得上是一片昇平，萬種繁華。蔡京更提倡『豐、亨、豫、大』之說，簡直把財物、官爵當成糞土一般不值錢。

有一回，宋徽宗大宴羣臣，酒過三巡，他拿出兩樣玉琖（玉製的小杯），給大臣們觀賞，眞是薄如蛋殼，雕工細緻。

等到衆臣都傳觀過了，宋徽宗長長地嘆一口氣道：『我想拿來使用，又怕人家說太奢侈豪華了。』言下不勝委屈之至。

『這算什麼，』蔡京馬上接口道：『想臣以前出使契丹，見到玉盤琖，都是石敬瑭時代的遺物，契丹好神氣，向臣誇耀，說是南朝沒有如此寶物。現在把玉器拿來用，再合適不過了。』

宋徽宗又道：『這玉器是老早就有的，但是若有臣子再因此而上諫，不勝其煩，朕甚畏此言。』

蔡京馬上擺出『有理不必讓』的神態說：『事情若是有理，多言亦不必害怕。做爲一國之君，陛下當享天下之俸，區區一玉器，何足言哉。』

由於蔡京不停灌輸徽宗『人生短促，何必自苦，皇帝當以四海爲家』的思想，久而久之，徽宗更加揮霍，也愈來愈覺得蔡京可愛。甚且以堂堂九五之尊，隨隨便便乘著輕車小輦，直接來到蔡京家中。

在前面〈周邦彥與李師師〉篇中，我們說過，這位浪子皇帝連妓女居住的錄事巷都去過，堂堂相府有什麼去不得的，而且還一共去了七回。這話是蔡京自己說的，他在謝表之中提到『輕車小輦，七賜臨幸。』『主婦上壽，請酬而肯從，稚子牽衣，挽留而不卻。』

在蔡京的相府之中，他的姬妾與皇帝同坐在一張大桌子，大吃大喝，吵吵鬧鬧，親熱得如同一家人。其中最得徽宗歡喜的，該算是蔡京兒子蔡攸。他為了博徽宗一笑，不惜為藝術而犧牲。臉上塗著一塊青，一塊紅，身上穿著短衫窄褲，混在倡優侏儒之中，插科、打諢，還講黃色笑話，扮演不正經的女人，把民間粗鄙不堪、低級下流的鬧劇全搬出來作秀。

宋徽宗平常沒有機會接觸市井淫浪之語，這下子大開眼界，興奮極了。蔡攸青出於藍而勝於藍，惹得蔡京有些不悅，引發一場父子之爭。

閱讀心得

【第420篇】蔡京與蔡攸。

蔡攸，字居安，蔡京的長子，小時候異常聰慧，深得長輩們的喜愛。尤其是他的叔叔蔡汴，蔡汴是王安石的女婿，特別疼愛這個小姪子。

宋徽宗在端王時代，已經發現了這個年輕人。原來端王每回下朝之後，總在半途上看到蔡攸停下馬來，雙手拱立，恭恭敬敬站在路旁請安。

端王在眾人眼中是個標準的浪子，平日，並沒有太多人欣賞他。端王見此小伙子每天不厭其煩的請安，遂向人家打聽：『這人是誰啊？』

一問之下，原來是鼎鼎有名蔡京的兒子。徽宗當時已在心中，暗暗記住了蔡攸的名字，準備以後有機會，好好提拔他一下。

蔡攸這步棋可下對了，端王後來時來運轉，當上了天子。蔡攸因爲有過去這一段經過，再加上油嘴滑舌，善於諂媚，深得宋徽宗喜愛，官運亨通，做到了大學士、淮康節度使等要職。

當蔡攸初次接到節度使命令以後，宋徽宗爲他擺了一桌盛宴。宴會之中，宋徽宗對他說：『相公，公相子。』相公乃尊稱，公相是因爲當時蔡京號稱爲公相，而蔡攸爲蔡京的兒子。

蔡攸的腦筋靈活，一會兒就想出對子，應聲答道：『人主，主人翁。』不但對得恰到好處，又捧了徽宗一下，難怪徽宗對他更加寵信。

徽宗喜歡灌蔡攸酒，而且用的是特大號的酒杯，蔡攸恭敬不如從命，連連乾杯的結果，醉倒在地，爬不起身。徽宗意猶未盡，不斷地賜酒，最後蔡攸只有裝小丑哀求道：『臣鼠量已盡，懇求陛下可憐。』徽宗才停止作弄蔡攸。

蔡攸不但長於插科打諢，耍寶逗趣，以博得徽宗一粲。蔡攸的妻子宋氏頗有幾分姿色，徽宗直盯著瞧，蔡攸恬不知恥趕快把宋氏獻給徽宗。於是，宋氏經常出入宮禁。蔡攸看穿浪子皇帝的本色，時常在徽宗跟前說：『皇帝應當以四海爲家，以太平爲娛，人生能活多少歲月呢？何必自尋勞苦。』徽宗最高興聽勸他享樂的話，立刻予以厚賞。

蔡京蔡攸父子二人，徽宗都非常寵愛。蔡京其他的兒子蔡儵、蔡翛官至大學士，蔡儵更被招爲駙馬。由於蔡攸太紅了，簡直比老父蔡京還要吃香，因此父子二人漸漸不合，互相鬥爭。再加上一些個輕薄之徒挑撥離間，最後，不但父子各立門戶，見了面不説話，而且彼此敵對，成爲仇人。

有一回，蔡京正在大擺酒席。蔡攸來了，他一入席，馬上恭謹地握起蔡京的手，爲他按脈，皺著眉頭説：『大人的脈勢舒緩，是不是病了？』

『沒有啊，我好得很。』蔡京爲了表示身體強健，説著喝了一大杯酒。

蔡攸按完脈，丟了一句：『禁中（即宮中）方有公事。』匆匆告辭。

蔡攸像一陣風般來了又走，客人狐疑地問蔡京，這到底是怎麼一回事。

蔡京搖頭道：『你們不知道，這是他想要用我生病爲由，逼我退休。』

果眞是知子莫若父，過了沒有兩天，蔡攸和宦官童貫眞的拿了皇帝要蔡京退休的詔令來。蔡京雖然心中已有準備，依舊張惶失措，口齒不清地說：『嗯嗯，我年紀衰老了，自然應該離去，但是上恩未報，此二公所知也。』

左右旁邊的人，見到平日不可一世的蔡京慌慌張張，竟然管自己的兒子稱『公』，莫不偷偷竊笑。

蔡京哭喪著臉，對童貫說：『皇上爲何不容京數年，必然是有小人進讒言。』

『這個，我不清楚。』童貫一臉漠然的回答。

蔡京這個人確是大奸大惡，連宋徽宗都知道他不是好東西，屢次罷他的相職，又屢次再用他爲相。蔡京每次聽說要罷相職，就跪在徽宗面前磕頭，淚流滿面，眞是毫無廉恥。

蔡京家用奢華，他的子孫也皆不知稼穡艱難。某日，蔡京問孫兒們：『你們知道每天吃的米是從那裏來的嗎？』有一個馬上說：『我知道，米是從杵臼裏長出來的。』蔡京忍不住大笑。另外一個馬上接口道：『不對，不對，稻米是從蓆子裏長出來的。』原來，京師運米都是用草蓆袋盛裝的，難怪有此一誤會。

蔡京一家享受侈靡，他最喜歡吃鵪鶉肉。一隻鵪鶉只有小鳥般大，一碗鵪鶉羹要數百隻鵪鶉才能調製，還不夠他下筷子。有一回，蔡京夢到鵪鶉派代表向他抗議，把他給嚇醒了。

這個夢傳開以後，大家更知道蔡相府中的菜餚是不得了的好。有一個士大夫在京師買妾，這個妾自稱曾經在蔡太師府廚下做事，士大夫一聽之下大樂，心想這回可以大飽口福了。

回到家裏，他馬上命令妾道：『快給我先蒸一籠包子，試試你的手藝。』這蔡府中的包子一定是皮薄、餡多，還有一汪香噴噴的油水，不曉得有多麼味美。

不料這新買的妾搖搖頭道：『對不起，我不會做包子。』

『哼，連包子都不會，那你在廚房裏幹什麼的？』

『我，我只負責剝包子裏的蔥絲。』侍妾囁嚅地回答。

原來蔡京家中仗著錢多，分工極細，竟連包子中的蔥絲也有專人處理。

閱讀心得

閱讀心得

閱讀心得

歷代•西元對照表

朝　　代	起迄時間
五帝	西元前2698年～西元前2184年
夏	西元前2183年～西元前1752年
商	西元前1751年～西元前1123年
西周	西元前1122年～西元前 771年
春秋戰國(東周)	西元前 770年～西元前 222年
秦	西元前 221年～西元前 207年
西漢	西元前 206年～西元 8年
新	西元 9年～西元 24年
東漢	西元 25年～西元 219年
魏(三國)	西元 220年～西元 264元
晉	西元 265年～西元 419年
南北朝	西元 420年～西元 588年
隋	西元 589年～西元 617年
唐	西元 618年～西元 906年
五代	西元 907年～西元 959年
北宋	西元 960年～西元 1126年
南宋	西元 1127年～西元 1276年
元	西元 1277年～西元 1367年
明	西元 1368年～西元 1643年
清	西元 1644年～西元 1911年
中華民國	西元 1912年

國家圖書館出版品預行編目資料

全新吳姐姐講歷史故事. 18. 北宋/吳涵碧 著.
--初版.--臺北市；皇冠，1995〔民84〕
面；公分（皇冠叢書；第2484種）
ISBN 978-957-33-1228-4 （平裝）
1. 中國歷史

610.9 84006926

皇冠叢書第2484種
第十八集【北宋】

全新吳姐姐講歷史故事〔注音本〕

作　　者—吳涵碧
繪　　圖—劉建志
發 行 人—平雲
出版發行—皇冠文化出版有限公司
台北市敦化北路120巷50號
電話◎02-27168888
郵撥帳號◎15261516號
皇冠出版社(香港)有限公司
香港銅鑼灣道180號百樂商業中心
19字樓1903室
電話◎2529-1778　傳真◎2527-0904
印　　務—林佳燕
校　　對—皇冠校對組
著作完成日期—1992年01月01日
香港發行日期—1995年09月25日
初版一刷日期—1995年10月01日
初版二十九刷日期—2021年05月
法律顧問—王惠光律師

讀者服務傳真專線◎02-27150507
電腦編號◎350018
ISBN◎978-957-33-1228-4
Printed in Taiwan
本書定價◎新台幣150元/港幣45元